ISBN 88-8158-157-4
Printed in Italy

Edizioni della Triennale

Coordinamento editoriale
Settore Biblioteca e Documentazione

Progetto grafico
Bob Noorda

Ente Autonomo La Triennale di Milano
viale Alemagna 6
20121 Milano
tel. +39-2-72434.1
fax +39-2-89010693
E-mail triennale@relay.comm2000.it

Distribuzione
Edizioni Charta

via della Moscova 27
20121 Milano
tel +39-2-6598098/6598200
fax +39-2-6598577
E-mail edcharta@tin.it

Pier Aldo Rovatti
Pietro Derossi
Bianca Beccalli
Carlo Formenti
Laura Boella
Paolo Gambazzi
Rossella Prezzo
Alessandro Dal Lago
Antonello Sciacchitano

Aimaro Isola
Vittorio Gregotti
Pierluigi Nicolin

Fare
la differenza

a cura di Pier Aldo Rovatti e Pietro Derossi

Triennale di Milano

Distribuzione CHARTA

Il convegno Fare la differenza *si è svolto venerdì 18 e sabato 19 marzo 1996, nel quadro delle manifestazioni che hanno accompagnato la XIX Esposizione Internazionale della Triennale.*
Con questa iniziativa si è inteso approfondire il tema dell'Expo, Identità e differenze, chiedendo a filosofi e architetti di esporre il proprio punto di vista.
Così, alle relazioni introduttive di Pier Aldo Rovatti, Pietro Derossi e Bianca Beccalli, dedicate alle tre parole chiave narrazione, identità, differenze, si sono succeduti interventi che hanno proposto una serie di variazioni filosofiche intorno al tema, offrendo punti di vista estranei al mondo dell'architettura, ampiamente rappresentato nell'Expo.
Il convegno si è poi concluso con un confronto tra gli intervenuti e alcuni architetti, come Aimaro Isola, Vittorio Gregotti, Pierluigi Nicolin e Andrea Branzi, che hanno accettato di ascoltare le ragioni e interessarsi al linguaggio degli interlocutori.
Le illustrazioni si riferiscono alla XIX Esposizione Internazionale della Triennale di Milano Identità e differenze. Integrazione e pluralità nelle forme del nostro tempo. Le culture tra effimero e duraturo *(26 febbraio - 10 maggio 1996) e alla sua introduzione, il Seminario-mostra* I racconti dell'abitare *(24 novembre - 30 dicembre 1994). Gli autori delle immagini sono Gabriele Basilico, Giovanni Chiaramonte, Tilde De Tullio, Gianluca Miano, Paolo Rosselli, Studio Cellini.*

Sommario

IDENTITÀ
DIFFERENZE

Premessa

La XIX Esposizione Internazionale della Triennale ha avuto come tema "Identità e differenze" e un lungo (alla Wertmüller) sottotitolo: "Integrazione e pluralità nelle forme del nostro tempo. Le culture tra effimero e duraturo". La necessità e opportunità di specificare il tema è derivata dalla complessità di chiudere in una endiade (o slogan) un campo di problematiche vasto non solo al suo interno, ma addirittura nella sua definizione, nei suoi confini, nelle sue interazioni/esclusioni con altri campi della conoscenza.
Un'ultima complicazione è venuta dal chi e perché è stata organizzata questa Esposizione. Una rinnovata Triennale, che dal 1990 non è più .... triennale, ma permanente; una Triennale che ha adottato esplicitamente il metodo della interdisciplinarietà - possibilmente compatibile con le varie specializzazioni. Ed anche il perché, cioè il senso di una Esposizione (che data dal 1923) nella crisi generale - questa anche di identità - delle esposizioni internazionali, pensate e organizzate in contesti di prima industrializzazione; con i sistemi di comunicazione e di informazione legati ai primordi dello sviluppo industriale; in totale assenza di qualsiasi previsione - sino agli anni '40 - di trasmissione elettronica.
La scelta, infine, proposta dal curatore Pietro Derossi, di adottare il metodo della "narratività" come chiave di lettura delle trasformazioni urbane, ha comportato un difficile dialogo con i Paesi stranieri partecipanti all'Esposizione. Un metodo, infatti, del con-testo urbano per cui "valorizzando, escludendo, enfatizzando, ricreando, (la trasformazione) avviene costruendo un racconto" che si snoda e si arricchisce con l'esperienza dell'user, esige un confronto su terreni epistemologici e disciplinari non di poco conto: basti pensare alla separatezza tra chi progetta (architetti, urbanisti) e chi testimonia la città (scrittori, poeti, artisti, ma anche psicologi, antropologi, filosofi).
Ecco allora che la XIX Esposizione ha assunto cumulativamente su di sé l'intera problematica, cercando, da un lato di tenere insieme, unito, un sistema di conoscenze in realtà variegato e slabbrato; dall'altro di entrare nel sistema con la curiosità e l'ansia di conoscere di più, di andare oltre.
Questo viaggio dentro l'architettura è stato compiuto da architetti e urbanisti con filosofi, sociologi, teologi, economisti, imprenditori, psicologi, antropologi, scrittori, poeti, artisti, in un arco di tempo che va dal 1994 al 1996, con seminari, incontri, convegni.
L'ultimo appuntamento è stato un seminario su "Fare la differenza" che qui si documenta: un sentiero intenso, provocatorio. La lettura di questo volume può aiutare a capire.

Saverio Monno

Direttore Generale della Triennale

IDENTIT
DIFFER

1

Identità, differenza, narrazione

Narrare, abitare l'evento

Pier Aldo Rovatti

1. Credo che il nostro problema – problema che forse dà il tono alla condizione culturale in cui siamo – sia quello di costruire un ponte tra identità e differenza. Non si tratta infatti di prendere partito, nonostante tutto, per l'identità: sarebbe come disconoscere quello che è sotto gli occhi, e cioè che non abbiamo più alcuna identità per cui prendere partito. Ma non si tratta neppure di prendere partito per la differenza contro l'identità, o comunque: non ci basta più questa scelta di campo. Siamo in una cultura della differenza, ma poi sospettiamo questo singolare (la differenza) e allora ci battiamo per una cultura delle differenze, al plurale. Ciascuna differenza – diciamo – ha la propria differenza, ed è questo che dovrebbe essere visibile e venire difeso: giustamente – diciamo – è questo che merita di essere messo in mostra. Bene, ma qui le nostre parole non sono più sufficienti, mostrano la corda. Nominandole, e adoperandole, come facciamo anche in questa occasione, vorremmo dire qualcosa che esse stesse, le due parole "identità" e "differenza", sembrano invece limitare. Infatti le carichiamo di altre diversità: intanto, le usiamo come se non fossero interscambiabili, come se non ci dovesse essere un'identità delle differenze e insomma come se le differenze che vorremmo mostrare e difendere non fossero la ripetizione, ciascuna di per sé, di una identità. Mostrare una pluralità di identità può essere un primo passo, ma non è il passo che ci interessa fare qui. La differenza deve essere riconoscibile, ma questo riconoscimento ha da essere di altra natura rispetto a ciò che normalmente fa sì che un'identità sia un'identità riconoscibile. Paradossalmente, quel che vorremmo, e che anzi ci sembra essenziale, è che l'identità di una differenza non sia propriamente un'identità; o lo sia tanto poco da permetterci di esorcizzare l'effetto violento insito in ogni processo di identificazione.
Allora avvertiamo l'esigenza di entrare nella questione con un atteggiamento di pensiero diverso. Ci serviamo, così, di altre parole, e affidiamo a queste ulteriori parole il compito di cambiare lo sguardo sulle parole abituali e irrinunciabili: nessuno è più disposto a rinunciare alla propria differenza in nome dell'identità.

2. Ho parlato di ponti, ma non si tratta dei ponti che costruisce l'ingegnere. Semmai potremmo pensare a Heidegger, che immaginava un ponte che dis-allontanasse le cose creando una prossimità inaudita. Aggiungerei, per capirci: che modificasse interamente il paesaggio. E per capirci ancora meglio, al di là di Heidegger: che cambiasse il nostro modo di stare nel paesaggio. Questo per dire che le altre parole che convochiamo sarebbero sterili, e insomma inutili, se si rivelassero modi o tecniche per avvicinare e semplificare le cose.
E' il caso, innanzi tutto, della parola "narrazione". Se, come accade, la traduciamo in uno strumento, essa non serve più a nulla. Non serve un'architettura che racconti scandendo l'identità in una successione temporale di mosse: la questione è piuttosto quella di capire perché costruire ha a che fare con narrare, e più in generale perché le differenze possono soltanto essere narrate.
Ho letto con molto interesse il saggio che Paul Ricoeur ha preparato per il catalogo di questa Triennale (saggio che si intitola *Architettura e narratività).* Come si sa, Ricoeur è quel filosofo che ha sentito, in questi anni, il bisogno di introdurre la parola-ponte

Nelle pagine precedenti: Esposizione Internazionale, Bob Noorda, simbolo dell'Expo (foto Basilico); Scalone d'Onore (foto Miano). Seminario-mostra, Enzo Mari, *Libreria d'affezione di Guido Martinotti* (foto Rosselli)

“narrazione” nel pensiero filosofico. Con un lungo lavorio, ma con grande chiarezza, Ricoeur ci ha detto che la filosofia non può venire a capo di una delle sue nozioni fondamentali, l'idea di tempo, senza ricorrere a questa parola-ponte; e poi ne ha tirato le conseguenze, e cioè che l'unico modo di maneggiare l'identità è quello di trattarla come un' “identità narrativa”, ovvero un'identità che si nega nel momento stesso in cui pretendiamo di chiuderla in definizioni del tipo “io sono questo”.
Ora, nel saggio che ho ricordato, Ricoeur sostiene che la questione dello spazio non è poi così diversa dalla questione del tempo, e fa affermazioni abbastanza eclatanti come questa: lo spazio costruito è un tempo condensato, e dunque la città è pensabile alla stregua di un “testo” con tutti i problemi di configurazione e rifigurazione che un testo (narrativo, ma ce ne sono altri?) solleva. Conclude mettendo l'accento sull'importanza del “lettore” di questo testo, ovvero di colui che abita la città “rispondendo” all'architettura come parte decisiva della narrazione. L'identità narrativa viene così a corrispondere a un tratto curioso, che Ricoeur chiama “itineranza”, con il quale ci indica un'oscillazione tra l'*esprit casanier,* come lo chiama, e l'erranza di chi abita in città.
Credo che siano provocazioni filosofiche da prendere molto sul serio, soprattutto per quell'accento attribuito all'abitare, ma nel medesimo tempo è difficile negare una sensazione di disagio e come di spaesamento di fronte a simili riflessioni. E' comprensibile che ci sia qualcuno che le ritiene un inane gioco filosofico, non avendo bisogno di aggiungere altre idee alle proprie. Ma per fortuna ci sono poi molti che sono in cerca di idee per leggere il proprio mestiere e la realtà in cui lo esercitano. Tutti costoro, e cioè all'ingrosso noi, devono però guardarsi dal rischio che le idee siano lì, disponibili, traducibili e applicabili, a cominciare dall'idea di narrazione, e più precisamente dall'idea di “identità narrativa”. Quest'ultima è, per dir così, un'idea paradossale: un'idea, in ogni caso, che non si lascia catturare perché è essa stessa qualcosa di itinerante e di duplice.
Con l'idea di narrazione non si controlla il testo: al contrario, se riconosciamo che un testo si lascia leggere narrativamente, riconosciamo con ciò stesso che il testo sfugge al controllo di una razionalità ordinante, che esso è abitato da un disordine fondamentale, o meglio: che esso si lascia leggere solo se riusciamo a mantenere questo suo elemento squilibrante. Se adesso torniamo a quella sensazione di spaesamento che le riflessioni di Ricoeur sull'architettura possono trasmetterci, dovremmo dire che il nostro compito non è di sbarazzarci in fretta di tale disagio, ma di farne tesoro, di tentare di trattenerlo perché probabilmente è questo disagio che ci apre una strada.

3. Attraverso l'identità narrativa, un'identità che non è un'identità, un'identità che non cessa di deviare da se stessa attraverso un racconto destinato a non richiudersi nell'identità del racconto, l'*esprit casanier* non viene cancellato ma riesce a squilibrarsi rispetto al suo centro statico. Freud ha condensato questo movimento di simultanea andata e ritorno, collegato alla casa, nello choc di un'esperienza, comune e angosciosa, che ha chiamato *das Unheimliche;* il turbamento che ci viene quando ciò che abbiamo di più proprio (di più *casanier* si potrebbe dire) ci appare massimamente estraneo e inquie-

tante, appunto spaesante. Dopo Freud, soprattutto Benjamin e Heidegger hanno lavorato per loro conto su questo choc o spaesamento, non solo vedendovi un'esperienza fondamentale dell'esistenza moderna, ma anche l'obiettivo di un esercizio di pensiero e di vita; nel dibattito contemporaneo lo scarto spaesante è uno dei tratti su cui torna con insistenza la filosofia di Jacques Derrida. Tutto ciò appare non lontano, anzi apparentato, rispetto all'uso in filosofia della parola "abitare".

La storia recente di questa parola, che a prima vista risulta assai poco filosofica, è piena di sentieri, incroci, richiami, da Heidegger fino all'ermeneutica di oggi, con *detours* importanti come in Merleau-Ponty. Non è qui il caso di tentare di raccontarla, ma certo la parola "abitare" è diventata una parola chiave, da mettere accanto a "narrazione", perché all'"abitare" è stato affidato il compito di un orientamento nel modo di pensare. Tutto sembra giocarsi nella differenza tra possedere la verità e abitare la verità: nel secondo caso la verità non è più un possesso certo e dunque non è più neppure un semplice oggetto del sapere: non è più il correlato di un'attività speciale dell'uomo che chiamiamo conoscenza. Quando il filosofo dice che l'uomo abita il mondo o cha abita il linguaggio afferma una condizione che si sottrae alla certezza cartesiana: l'identità di un io padrone del criterio del suo sapere, padrone di casa – potremmo dire, risulta adesso assai limitata, anzi mutilata, nei confronti di un'altra identità che si sa e si vuole spiazzata da ogni modello di conoscenza avvolgente. Potremmo dire che qui prevale una tonalità "etica", chiarendo però subito che ethos altro non è che "abitare".

In ogni caso, è una nuova tonalità di pensiero che inizia a farsi spazio: la sua fisionomia ha certo i tratti dell'insicurezza e del rischio , ma la novità consiste nel fatto che questi tratti non possono più venire intesi come limiti negativi da cui difendersi. Essi diventano la posta in gioco di un'apertura del pensiero che si dà solo se riusciamo a depotenziare il gesto abituale con cui normalmente catturiamo-comprendiamo le cose e noi stessi.

Di qui prende piede un'altra andatura filosofica, da Nietzsche fino a noi, che lavora più sulla leggerezza che sul peso dell'essere, più sul pudore del provvisorio e del verosimile che sull'impudenza dell'autentico, più sulla circospezione di un avvicinamento in punta di piedi che sul precipitarsi ad afferrare e consumare oggetto ricercato. E' questa, anche, la paradossale leggerezza della narrazione: l'identità narrativa, se prendiamo per buona la formulazione di Ricoeur, chiede che la si abiti, perciò è una nozione anomala, e forse è intrattabile come semplice nozione.

Stiamo nella narrazione ben sapendo che ogni racconto è un racconto del soggetto, di noi stessi, col rischio che a ogni passo la verità abitata ritorni ad essere una verità posseduta, ma correndo programmaticamente l'altro rischio, che è la condizione stessa di questo abitare: e cioè che ad ogni passo il terreno sotto ai piedi non possa che mancare, che non ci sia mai un terreno.

Quanto si è detto e scritto in questi anni sull' "amico" e sullo "straniero", sul paradosso dell' "ospitalità", è un esempio di tale lavoro collegato alla necessaria, incertezza dell'abitare, alla sua pericolosa "debolezza", ma anche all'irrinunciabile apertura di sguardo che ci permette.

4. Come *si abita* un testo? Da Nietzsche fino a Derrida, la filosofia continua a insistere sull'importanza di questa domanda e sull'orizzonte delle sue risposte. Nietzsche, appunto: la famosa pagina della *Gaia scienza* sulla "morte di Dio" permette una sorta di esperimento cruciale. Se è vero che la filosofia ha messo a morte le proprie Verità, insomma se l'aforisma intitolato "L'uomo folle" dice paradossalmente la verità sull'intenibilità di ogni Verità, allora questo piccolo testo, insieme retorico, tragico e comico, dove un uomo fuori di testa si aggira in pieno giorno con una lanterna accesa delirando che "noi abbiamo ucciso Dio" e dove altri uomini normali (mercanti, dato che è al mercato che la scena si svolge) lo irridono divertiti ma non senza fastidio, e lui seguita nel suo delirio enfatico e goffo, questo testo, imbarazzante anche per la sua artificiosità, non possiamo tradurlo in pensiero, sfrondarlo della sua cornice narrativa e leggerlo solo per il nucleo di senso che ci sembra di ricavarne.
Abitarlo, come non possiamo non farlo se lo capiamo, richiede invece che ci carichiamo di tutto l'imbarazzo che la scena ci trasmette con i suoi elementi tragici e comici, insieme veri e falsi, affermazione di qualcosa e subito parodia della stessa cosa. Per leggere questo testo dobbiamo, per così dire, entrare nella scena; far la parte dell'uomo folle ma anche del mercante, credere a ciò che accade ma anche sapere che quello che accade è un teatro, e dunque revocare subito la nostra credenza. Perciò Nietzsche dirà, nello *Zarathustra,* che si tratta di "ridere" la verità, e che questa è l'arte, l'andatura, più difficile da imparare.
Il nichilismo che apprendiamo da Nietzsche è tutt'altro che un gesto di cancellazione o di distruzione, meno che mai un gesto di de-respinsabilizzazione. La verità, infatti, assume un profilo assai più complicato: abitare un testo e leggerne la paradossale narratività è il contrario di un comodo disimpegno, anzi la perdita di un appiglio esterno ci consegna a un "dentro" che non ha più nulla dell'atto autocosciente, dato che è il massimo dello spaesamento.
Si tratta di abitare la distanza: distanza da quella casa già pronta, prefabbricata, con cui ci garantiamo ogni volta il senso di ciò che siamo, di ciò che facciamo, di ciò che leggiamo. Distanza, ma non assenza: il senso non è sparito, solo è stato allontanato, si è scomposto, sdoppiato, è entrato in un gioco che assomiglia molto al gioco del rocchetto di cui parla Freud in *Al di là del principio di piacere,* dove "presenza" e "assenza" coabitano, abitano insieme l'evento, e dove alla lettera non c'è più né una semplice presenza né una semplice assenza.

5. La terza parola che vorrei convocare è la parola "evento". Per abitare un testo, per esempio la pagina di Nietzsche sulla "morte di Dio", dobbiamo accorgerci che esso è la narrazione paradossale di un evento.
L'identità è un evento, e questa potrebbe essere la sua differenza. Che significa? Significa, intanto, che l'identità è qualcosa che accade, non è un dato, un fatto, un già fatto. Ma, ancora, che significa "accade"? Qui siamo di fronte allo spaesamento dell'idea normale di soggettività. Non solo non basta dire che noi costruiamo l'identità, magari attraverso un racconto o una molteplicità di racconti: perché, al contrario, si tratta di riuscire a limitare questo costruttivismo.

In un suo libro sul dono Derrida ci invita a pensare l'evento come un dono, qualcosa che ci accade o che facciamo accadere senza che possiamo controllare il gioco tra attività e passività. Come l'uomo di Nietzsche è un uomo "folle", così c'è una "follia" del dono e dell'evento, una follia da salvaguardare come ciò che c'è in esso di più prezioso. A questa follia dell'evento-dono sono legati i tratti del caso e della novità. Nessuna novità senza che il caso abbia una sua parte; nessuna apertura nell'evento, e quindi a rigore nessun evento, senza uno spazio lasciato all'imprevisto, a ciò che non era previsto come possibilità, e dunque anche all'impossibilità. Togliamo questa "follia" e l'evento si richiude in un fatto, in un oggetto, in un semplice calcolo.
Ma non è proprio questa la differenza che stiamo cercando? La nostra comune ragionevolezza sembra indignarsi dinanzi a un tale squilibramento della razionalità. Ma come? Davvero, qualcuno può venire a parlarci di progettare l'impossibile? E' comprensibile che ci si stupisca o che si reagisca con ironica sufficienza. Eppure basta fare la prova. Derrida la fa con il dono: un dono che rientri del tutto nell'economia razionale dello scambio non è un vero dono. Così un evento che rientri del tutto nel calcolo razionale non è un evento.
Che fare, allora, per mantenersi su questo ponte? Si apre un'altra economia, non certo il silenzio estatico o mistico: un'economia del pensare e dell'agire, dell'essere responsabili, della quale si possono cominciare a descrivere rinunce e spostamenti, un nuovo gioco di vantaggi e svantaggi a partire da ciò cui ora miriamo, ovvero che l'evento resti evento senza venire subito cancellato nella chiusura del fatto.
Derrida aggiunge: nessun evento senza narrazione. Ma qui la narrazione è contromovimento rispetto al resoconto, alla descrizione che rende conto. L'evento narrato è un paradosso: viene descritto ma al tempo stesso è proprio la narrazione che lo tiene aperto, senza un fine o una fine già stabiliti, senza una visibilità totale. In ogni narrazione c'è qualcosa di impossibile e di segreto che si ripete e si rilancia proprio mentre il racconto sembra incorniciare, e di fatto incornicia, la sua scena.
La sfida in cui oggi la filosofia è presa – e di cui queste tre parole-ponte, "narrazione", "abitare", "evento", sono una testimonianza – è la stessa che Nietzsche proponeva al suo lettore parlando della "morte di Dio": possiamo sopportarla? E se no, quanto ci precludiamo? Per stare al nostro tema, quello che ci precludiamo, rifiutando la sfida o la scommessa (ancora qualcosa che appartiene all'evento), è forse la possibilità di capire che cosa lega l'identità e la differenza, perché un simile legame modifica il nostro sguardo sull'identità e sottrae la differenza ad ogni identificazione, al risucchio nell'identità che vogliamo aprire.

le case
o noi giriamo intorno

L'identità provvisoria

Pietro Derossi

1. Ho preso sul serio il titolo di questo incontro, proposto da Pier Aldo Rovatti: fare la differenza. La parola fare ci invita a considerare il panorama delle differenze che il mondo ci offre non solo come un invito ad un'osservazione critica della realtà, ma come riferimento e condizione delle nostre azioni.
La più parte dei testi critici che ci parlano dell'arte si propongono di chiarire il senso dell'opera per facilitarne la comprensione, ma l'opera è già lì pronta ed offerta alla fruizione.
Ma l'opera deve essere "fatta" e questo fare è il problema di chi è impegnato, per scelta o per destino, a lavorare in quei settori che rientrano nella sfera dell'artisticità.
Pochi commentatori si interessano di entrare nel merito del cammino che l'artista deve percorrere nel fare l'arte e, in particolare ci interessa qui, del percorso dell'architetto per fare l'architettura.
Abbiamo scelto tre parole chiave per indagare l'attività del fare: identità, differenza, narratività, e ci siamo proposti di decifrare il ruolo di queste parole nell'avventura della progettazione.
Nella divisione dei compiti per le relazioni introduttive al seminario è stata assegnata a ciascun relatore una delle tre parole. A chi scrive è stata assegnata la parola identità, suscitando un'immediata riflessione: l'identità non può che essere provvisoria, da cui il titolo di questo scritto.
Per sostenere questa affermazione, ripercorreremo il possibile svolgimento di un'azione progettuale.
Per fare un progetto d'architettura è necessaria un'occasione che sia teorica o reale.
L'occasione è il prodotto di una situazione privata o pubblica che, nei due casi, interessa la trasformazione della città. Per città intendiamo il territorio costruito dando per accertato che la definizione di città come nucleo unitario e delimitato si è indebolita per la presenza ingombrante delle interazioni che ogni luogo urbanizzato ha con un vasto territorio. Si potrebbe usare la parola metropoli o megalopoli per definire questa nuova condizione, ma la parola città può essere salvata in quanto ancora ci suggerisce una situazione di vita comunitaria che, pur nel quadro delle interazioni territoriali, difende la sopravvivenza di un desiderio di permanenza e di riconoscimento.
L'occasione di un progetto di architettura è generata dall'intenzione di un protagonista sociale di aggiungere, rinnovare, trasformare la città per ottenere un miglioramento della vita urbana ed anche un corrispondente beneficio politico e di mercato.
Questa intenzione mette in causa aspetti economici, legislativi, funzionali ed estetici.
E' difficile pensare ad un'occasione senza pensare ad un luogo, se alla parola luogo si dà un significato esteso che può richiamare sia un'area particolare che un insieme di aree connesse tra loro da una comune esigenza o da una comune tensione alla trasformazione.
Parlando di luogo si evoca sia un limite che un'apertura in quanto il luogo esprime la propria specificità in relazione ad un contesto. Il luogo è assimilabile ad un "testo" e la preposizione "con" ci rimanda alle interazioni che completano la sua definizione.
Così inteso il con-testo non è solo ciò che sta intorno al luogo ma è una complessa rete di relazioni che l'ascolto della peculiarità del luogo rivela.

Nella pagina a fianco: Seminario-mostra, lo spazio centrale durante il seminario (foto Rosselli)

Un semplice esempio. Se devo progettare una piazza, la prima mossa sarà una visita al luogo destinato e questo incontro con la situazione costituisce l'inizio di una meditazione che deve fare i conti con l'infinità dei possibili riferimenti.
Una piazza non è solo un vuoto ma è l'architettura che la delimita, il carattere delle strade da cui si accede, il ruolo che gli si vuole attribuire, le funzioni che dovrà svolgere, la sua storia e il suo futuro.
L'indagine si estenderà a quelle piazze antiche o moderne che l'autore ha conosciuto o intende conoscere per cercare raffronti e similitudini.
Si innesca così un gioco di rimandi che dal luogo vanno verso un'infinità di situazioni che possono contribuire a chiarire l'intenzione del progettista, e da queste ritornano al luogo per arricchire il campo delle riflessioni e delle scelte.
Il processo di interazione tra luogo e con-testo coinvolge la personalità dell'autore, la sua specifica cultura, perché è questa che produce la selezione tra l'infinita possibilità dei rimandi. La cultura di un artista è la sua chiave di interpretazione. Si tratta di una soggettività relativa in quanto si manifesta dentro la vischiosità dell'occasione, nel confronto con le cose che lo circondano.
Un importante contributo per chiarire questa affermazione è il saggio di Heidegger dal titolo *La cosa* (1). I riferimenti vicini e lontani che incontriamo nel percorso della meditazione progettuale non sono oggetti, già chiusi in una rappresentazione che gli attribuisce una costituita e ferma oggettività, cioè oggetti per se stessi, pezzi di una realtà idealizzata che ha una sussistenza autonoma. Ciò che incontriamo sono "cose", che si offrono alla nostra interpretazione. La scelta di utilizzare la parola "cosa" in alternativa (o di complemento) alla parola "oggetto" ha una legittimazione nella sua stessa etimologia: "Le antiche parole tedesche *Thing* e *Ding* significano il riunirsi per trattare di una questione in discussione... diventano termini per indicare una discussione, un affare; indicano ogni cosa che in qualche modo riguarda gli uomini".
Così la parola latina res rimanda alla causa o al caso di una discussione, e dalle parole causa e caso viene la nostra parola "cosa".
Nel processo del fare il progetto ci troviamo, nel nostro itinerario di meditazione, tra "cose" che ci preoccupano, che chiedono di essere discusse. Esse non ci impongono realtà date, ma ci coinvolgono con un richiamo che ferma la nostra attenzione, ci induce all'ascolto.
Per la loro stessa problematicità le "cose" (che sono causa e caso) ci aprono a nuove curiosità e a nuove direzioni di indagine. Questo fermare ed aprire è il "coseggiare delle cose" una densificazione minuta e provvisoria del "mondeggiare del mondo".
L'architetto nel suo fare il progetto sta nelle "cose" e perciò è condizionato: ogni illusione demiurgica di trascurare questo ascolto e di evitare questo coinvolgimento può solo essere prodotto da una arrogante e sciocca banalizzazione del proprio ruolo (è questa la triste e noiosa condizione di molta architettura contemporanea nelle sue espressioni più soggettive e purtroppo oggi vincente sul piano della divulgazione pubblicitaria).
Le "cose" con la loro vicinanza ci aprono alla lontananza producendo un invito ad errare nel mondo inquieto dell'abitare, per ritornare verso il luogo spinti da un desiderio di interpretare e trasformare.

Dice Heidegger: "è la vicinanza che conserva la lontananza".
Possiamo chiederci di che natura sia questo stare nelle cose in ascolto dei loro messaggi, o meglio chiederci di che natura siano questi messaggi.
Si tratta di un'erranza tra ciò che è vicino e ciò che è lontano per trovare la strada e fermare una scelta progettuale e in questa erranza incontriamo le vicende dell'abitare, tanti messaggi leggibili nella forma di racconti.
E' la parola narratività che può dare senso al nostro fare, un'azione intermedia tra l'ascoltare e il dire.

2. Il riferimento a Ricoeur è d'obbligo. Come è noto, Ricoeur affronta il tema della narratività proponendo una griglia di analisi in tre fasi: prefigurazione, configurazione, rifigurazione e nel suo saggio *Architettura e narratività* (2) discute delle possibilità di utilizzare questo approccio al mondo dell'architettura.
La prefigurazione costituisce un primo salto di qualità rispetto ad una fruizione distratta della città contenuta nella consuetudine dell'abitare, in quanto apre verso una intenzione di azione. Il movente è la consapevolezza che "siamo esseri capaci di agire, di intervenire nel corso degli eventi, di iscrivere l'azione nelle cose, di articolare le nostre azioni in funzione di norme, segni, di entrare in un ordine simbolico, di valutare le nostre azioni in termini di buono/cattivo, permesso/proibito". La prefigurazione ci introduce nel "groviglio delle storie" e ci accoglie nel mondo delle "cose", quelle "cose" presenti in un luogo, occasione di un nostro possibile agire. La nostra intenzione di capire e di trasformare si trova coinvolta in un processo temporale che ci permette di disvelare il senso dello spazio fatto di "cose" (case, strade, monumenti, ma anche comportamenti, desideri che emergono dal vissuto nel suo incessante divenire).
Per il nostro intento di mettere in luce le cadenze del progettare è possibile cogliere la similitudine di questa fase della prefigurazione con l'incontro dell'autore-architetto con il tema, il luogo, la committenza. E' un mettersi in cammino dentro un groviglio di situazioni, di rimandi che si presentano con la loro complessità e la loro seduzione.
In questa fase inizia la ricerca progettuale in cui realtà interpretata e personalità dell'autore si misurano reciprocamente.
Potremmo dire che ha inizio una fase di dialogo che fa partecipare l'autore architetto ai discorsi che la città, a partire da quel luogo, produce: un dialogo attento, critico, coinvolgente.
La seconda fase, la configurazione, preme verso la necessità di disegnare una soluzione che sarà fatta di forme, di quelle forme, che per necessità devono chiudere un discorso e dare vita al progetto. L'atto della configurazione deve assumere l'onere drammatico e rischioso (qualche volta gioioso) di allontanarci dai racconti che il luogo ci ha narrato per dare vita al nostro racconto.
Progetto e racconto diventano quasi sinonimi. Il progetto allestisce la forma che rende comunicativo un racconto proponendo una sintesi (provvisoria) dell'eterogeneo. I racconti emersi dall'ascolto della città sedimentano tracce che entrano a far parte del nuovo racconto e questo, con la sua configurazione, interpreta e rinnova il senso del luogo.

Sia che il progetto sia un edificio o un pezzo di città, questo sarà sempre una parte di ambiti più estesi e aprirà a riferimenti lontani. Una "... vicinanza che conserva" nel senso che rimette nella circolazione dei significati "la lontananza".
Il progetto mette in questione un ambiente urbano partecipando al processo di trasformazione della città, ma in questo processo costituisce anche una sosta, una fermata del tempo. Nel fermarsi il tempo si condensa in quanto raccoglie passato e futuro, e provvisoriamente si pone in attesa. "Un'opera architettonica" in quanto sintesi di tracce interpretate e di rinnovazioni proposte è dunque un "messaggio polifonico offerto ad una lettura al tempo stesso inglobante e analitica" e costituisce con l'atto del costruire una vittoria provvisoria sull'effimero.
Così inteso il progetto si trova costretto ad interpretare le cose con cui deve dialogare, ed ogni cosa e molte cose insieme ci coinvolgono in un intrigo che chiede di essere raccontato. Ma di cosa parlano i racconti di architettura?
Parlano del problema assai antico dell'abitare, cioè della necessità-desiderio del genere umano di allestire uno spazio in cui installarsi, soffermarsi, raccogliere gli oggetti a garanzia della propria esistenza. Ed anche parlano delle forme degli spazi collettivi dove ci si ritrova per gestire, per governare, per comunicare.
Tanti luoghi trovano la loro forma e la loro funzione e tra luogo e luogo si tracciano i percorsi privilegiati che ne garantiscono la connessione.
La parola abitare mette in gioco necessità e desideri e segna i tempi di una continua trasformazione; è una parola che tende di fatto a comprendere ogni azione umana e le condizioni che ne permettono la realizzazione. Dalla capacità di abitare (dice poeticamente Heidegger) si può comprendere il senso di una civiltà.
Nell'avventura dell'abitare che parla con molti linguaggi, l'architettura e l'urbanistica giocano il loro ruolo con la specificità dei compiti che la storia ha loro delegato. Una specificità di linguaggio che trova la sua legittimazione nella capacità di dialogare con altre azioni umane e altri linguaggi.
I progetti-racconti si esprimono dando forma agli spazi, racchiudendoli con limiti, scegliendo i materiali, disponendo le sequenze, nello sforzo di configurare una proposta di abitare che si localizza in un luogo, ma apre riferimenti con altri luoghi e altri racconti.
Gadamer dice che l'architettura è un'arte che contiene. Un'arte che propone e stabilizza le sue forme ma è consapevole che il messaggio e la sua stabilità sarà messa in discussione dagli utilizzatori con cui vuole comunicare, che saranno chiamati (alle volte costretti) a dare senso al messaggio con la loro interpretazione.
Questo distendersi dell'architettura dentro la pluralità dei linguaggi mettendosi in attesa dei suoi fruitori (i salvaguardanti heideggeriani) subisce oggi nell'epoca delle comunicazioni immateriali una condizione rinnovata, segnata da un'accelerazione delle informazioni e delle possibili consapevolezze. Le comunicazioni immateriali suggeriscono l'impiego di nuovi materiali e di nuove strategie.
Questo processo attraversa la storia dell'architettura con momenti di riflessione che cercano forme provvisorie (ad esempio proponendo metodi o trattati), con momenti di decostruzione che si oppongono ai tentativi di strutturazione omologante proposta dai

poteri forti della società. Si tratta di una sequenza non lineare, segnata dall'interazione delle differenze.
Mettendo in luce il ruolo dell'architettura di contenere, cioè di allestire un'attesa, si incontra l'ultima fase proposta da Ricoeur, la fase della rifigurazione. Il momento della rifigurazione fa assumere al fruitore della città un ruolo da protagonista. E' lui, nelle sue varie figure, da semplice cittadino, a critico d'arte, a politico impegnato ecc., che raccoglie il messaggio configurato e lo sottopone alla propria interpretazione, verificandolo alla luce delle proprie aspettative.
Le aspettative sono importanti in quanto sono generate dalla necessità di abitare. Il messaggio architettonico che ciò che è costruito invia, entra nel merito delle condizioni reali e dei desideri inerenti lo stare sulla terra, in un certo luogo, con certe esigenze, certi ricordi, certe speranze.
Nel processo della rifigurazione l'opera di architettura viene sottoposta a molte interpretazioni che ne ridefiniscono il contenuto anche trasformando le intenzioni del messaggio e rivelando altre possibili letture che lo stesso autore non aveva previsto.
La rifigurazione ci parla del cammino che l'opera di architettura è costretta a compiere offrendosi come nuovo racconto tra i racconti presenti nella città; un cammino che distende la specificità spaziale dell'opera in un percorso temporale.
Il tempo contribuirà a rivelare le possibilità del messaggio spaziale.
La consapevolezza del viaggio che il messaggio farà nei processi di rifigurazione, non può non avere un'azione retroattiva su tutte le fasi dell'atto creativo.
L'autore-architetto produce il proprio racconto collocandosi tra le voci delle "cose" e proponendo la propria interpretazione con la consapevolezza del rischio a cui sottopone il proprio "fare" in vista del percorso che l'opera dovrà intraprendere. Questa consapevolezza lo costringe ad usare le armi della seduzione comunicativa (che sono le armi tradizionali della retorica), decorando il proprio messaggio (è questa considerazione che portava Heidegger ad affermare che tutte le arti sono decorative).

3. Il tema "fare la differenza" trova nella narratività una strategia di intervento che coniuga l'intento di un'azione artistica con le specificità di un fare che può solo agire cogliendo la rilevanza ineludibile delle differenze.
Quello qui descritto è un approccio che propone di ridiscutere le procedure per restituire al fare architettura una responsabilità più attenta e più diretta nella società, non solo per un intento etico, ma per la convinzione che solo una responsabile interpretazione del contesto sociale possa fornire nutrimento all'architettura, restituendole l'opportunità di essere necessaria, comunicativa e bella.
Esistono nell'attuale dibattito architettonico dei forti oppositori a queste indicazioni, opposizioni che si giustificano come difesa di una tradizione consolidata della modernità che non può essere intaccata da procedure che ne mettano in discussione la continuità. E' mia opinione che proprio tra gli assertori di questa difesa si celino i veri "traditori" del messaggio moderno.
E' difficile negare che il movimento moderno, a partire dalla grande esperienza dei primi trent'anni del nostro secolo, sia stato creatore e sostenitore di un forte messaggio

sociale, un grande racconto che ci ha parlato di una nuova città per una rinnovata società. Sarebbe una sciocca pretesa slegare questo movimento dal suo contesto storico, dall'occasione che l'ha generato, dalla considerazione critica dei suoi esiti, per assumerlo a metodo strutturante e universale. Questa operazione non può che produrre un travisamento dei significati e delle intenzioni, trasformando un messaggio importante e drammatico in uno stile. Questa operazione di conservazione vuole affermare la stabilizzazione di una razionalità che garantisca l'esistenza di una scienza architettonica autonoma dentro cui si verifica e si esaurisce la dialettica dei linguaggi.

Escluso dalle peripezie del racconto, dall'occasionalità dei contesti, "... il linguaggio celebra se stesso, in se stesso e per se stesso; si consuma una rottura tra 'le parole' e 'le cose'; l'idea di un referente extralinguistico è ritenuta oscena; l'universo dei segni si richiude al riparo delle frontiere dell'intertestualità, dove ogni libro rimanda ad un altro libro all'interno di una biblioteca favolosa", laddove noi potremmo dire architettura per libro e città per biblioteca.

La scienza autonoma dell'architettura può degenerare nel rigore banale di chi si esercita in una ossessiva "coazione a ripetere" o in una dimensione ludica, deprivata del carattere di rischio e di avventura del gioco, riducendo la supposta scienza al ruolo noioso di autopromozione pubblicitaria.

Altra opposizione, più sottile, viene da chi vede nell'approccio narrativo il rischio di un'adesione acritica ad un processo di secolarizzazione, processo che spingerebbe il fare artistico in una sfera pragmatica in cui viene esclusa ogni sacralità.

Di fatto, mettere in evidenza il carattere processuale dell'architettura dentro un percorso che ricollega il fare, cioè l'atto progettuale, con un'intenzione comunicativa diretta agli utilizzatori della città, mette in crisi la visione idealistica (confermata da certe posizioni strutturaliste) dell'arte come atto singolare, forte della propria intima purezza interiore.

Per questa visione l'atto creativo è un'intuizione della coscienza estetica e la fruizione è ricondotta ad una statica contemplazione.

Come fa notare Ricoeur, si tratta di un rifiuto della dimensione temporale e della conseguente relativizzazione della stabilizzazione della forma.

Rifiutando l'interazione tra le componenti di spazio e di tempo, il valore dell'opera sembrerebbe garantito da una doppia sincronia: la prima nella sintesi del gesto creativo dell'autore, la seconda nello shock contemplativo del fruitore.

Percorrendo le vicende del progettare abbiamo voluto mettere in luce la complessità dell'azione creativa, l'aleatorietà e la provvisorietà dei suoi esiti. Attribuendo al fruitore una responsabilità interpretativa abbiamo supposto un ruolo attivo che non può essere concluso nella ricezione quasi passiva di un'illuminazione puntuale di "verità". Riconducendo sia il fare che il recepire i messaggi artistici ad una procedura di trasformazione e di rivelazione degli eventi della vita (per l'architettura possiamo dire degli eventi dell'abitare) l'arte si qualifica come un processo conoscitivo. Una conoscenza "sui generis", in quanto carica di simboli e mossa da intenzioni retoriche, ma che del processo conoscitivo ha la complessità e la fatica.

Il fare artistico considerato nel suo cammino avventuroso non può essere ricondotto

agli atti puntuali dell'intuizione creativa o dello shock contemplativo, cioè ad una sacralità che si manifesta in una supposta riconciliazione con l'assoluto. E' evidente il cedimento metafisico di una simile presunzione.
Se di sacralità si vuole parlare, essa può essere riscoperta nello svolgersi dell'invenzione, là dove la configurazione dell'opera ha dovuto porre i limiti all'ascolto delle "cose", scegliendo di fermare la propria ricerca. La necessità di fermare e di limitare mette in luce ciò che non è stato compreso e non è stato detto, ciò che il nostro impegno di indagine e di meditazione ha solo intravisto ma non ha saputo raccogliere.
Racconti altri vengono narrati, ma riusciamo solo a intravederne l'esistenza in filigrana. La sacralità dell'opera non si identifica con l'illusione metafisica di un accesso ad un fondamento, genesi e senso del mondo, ma si manifesta come mancanza, come limite di un'avventura. Il non detto che accompagna l'opera ne segna la finitezza e la provvisorietà, rendendoci consapevoli, nel procedere pragmatico dell'esistere, della presenza contestuale dell'assurdità della relatività dell'esistere (che è l'assurdità della morte).

4. Ritroviamo al concludersi del nostro discorso la parola provvisorietà che appare nel titolo. Un'architettura contestuale, che accetta i limiti di un ruolo narrativo, di aggiungere un nuovo racconto allo svolgersi misterioso dei racconti urbani, ha il dovere di proporre una propria identità, praticando una rischiosa scelta formale idonea a comunicare il proprio messaggio. Ma questa identità, chiudendosi in una configurazione, disvela il non detto, ed espone la propria apertura e la propria provvisorietà, affidandosi alla benevolenza dei futuri interpreti.
Può sembrare paradossale sostenere che è la consapevolezza della provvisorietà che favorisce l'impegno della scelta.
Esercitare il ruolo di architetto, accettando di essere immerso in un processo di trasformazione che si propone di rivelare e rendere evidente una particolare proposta di abitare, attribuisce all'autore una forte responsabilità; anche perché parla con il linguaggio dell'arte, quel particolare linguaggio che arrischia l'esplorazione dei campi del sapere non precostituiti da strutturazioni razionali, ma dediti ad aprire il tema dell'abitare a nuove meditazioni.
L'irresponsabilità è riscontrabile in quei progetti che, disinteressati alla specificità della differenza, riducono le proposte formali all'applicazione di metodi e alla celebrazioni di stili preconfezionati.
Proposte che nella più parte dei casi si giustificano richiamando supposte razionalità o rigori funzionali o ragioni tecniche o esigenze d'ordine, producendo spazi inabitabili con l'indifferenza di chi è sostenuto da una verità data ed universale. Eliminando la dimensione temporale, cioè la consapevolezza della complessità processuale del "fare" la città, ricercano un'identità definitiva che non può che arroccarsi in una banale autorefenzialità.
Esempi evidenti del prodotto di questi metodi riduttivi di operare si trovano in molti nuovi quartieri periferici ma anche tra quegli edifici singoli che occupano spazi urbani con l'arroganza della loro futile singolarità: oggetti articolati, complessi, esagitati, più o meno decostruiti, che pretendono di esaurire le responsabilità dell'architettura

(responsabilità di uso e di bellezza, e bellezza come dimensione d'uso e viceversa) nella ripetizione ossessiva di stilemi incapaci di comunicare alcunché.

L'assunzione di una responsabilità che si radica nella consapevolezza della provvisorietà che osa confrontarsi con la memoria e con l'attesa, può avvicinare (o riavvicinare) il "fare" l'architettura alle necessità dell'abitare, assumendo, con la sua identità provvisoria, un ruolo nella progettazione di una città vivace, pluralistica, dialogante e forse poetica.

Note

(1) M. Heidegger, "La cosa", in "Saggi e discorsi", Mursia, Milano, 1976

(2) P. Ricoeur, "Architettura e narratività", in "XIX Esposizione Internazionale della Triennale di Milano", catalogo della mostra, Electa, Milano, 1996

Seminario-mostra, Alberto Abriani, *Le avventure di Laocoonte* (foto Rosselli)

Differenza differenze

Bianca Beccalli

Che nella titolazione della mostra internazionale il termine "differenza" compaia al plurale, "differenze", può essere una scelta di orientamento teorico, una scelta di campo molto specifica; oppure può semplicemente alludere alla complessità di una problematica aperta. Infatti "differenza-differenze", "differenza-diseguaglianza", "identità", "narrativa", sono termini al crocevia di orientamenti interpretativi diversi che attraversano diverse discipline tra le scienze umane, dall'architettura, alla filosofia, alla critica letteraria. Le pagine che seguono mirano ad esplorare questo crocevia, a descriverne e chiarirne i termini nell'ambito della teoria politica e della sociologia, traendo esempio da una tematica specifica, quella della differenza di genere, che è stata cruciale nel fare emergere il punto di vista della (e delle) differenza.

Come categoria rilevante nel pensiero sociale degli ultimi decenni la differenza è emersa a seguito di alcuni fatti sociali specifici, come i movimenti sociali dei neri, delle donne e dei giovani negli Stati Uniti negli anni '60. Rispetto a questi fatti, le categorie dell'uguaglianza e della diseguaglianza, delle classi sociali e dei soggetti storici deputati al cambiamento risultavano inadeguate, sia per la spiegazione sociale, sia come schemi di riferimento per i soggetti stessi. Differenza si è contrapposta ad eguaglianza, o meglio si è contrapposta alla tradizionale polarità di eguaglianza-diseguaglianza; non si è differenti perché si ha di più o di meno dello stesso bene, ma perché si è diversi. E la categoria della differenza crea notevoli complicazioni alla problematica dell'eguaglianza, in vari sensi: in primo luogo, dal punto di vista della teoria politica, delle definizioni della cittadinanza e delle politiche pubbliche; in secondo luogo, dal punto di vista dell'analisi storico-sociologica della formazione dell'identità, dei soggetti sociali e dei loro orientamenti. L'emergere della differenza precede dunque quel crogiuolo di eventi - il crollo del comunismo, le difficoltà delle socialdemocrazie, lo sviluppo dei conflitti etnici e nazionali - che hanno reso evidente la crisi di certe rappresentazioni generali della storia e che, nel campo di alcune delle scienze umane, sono stati accompagnati negli anni '80 e '90 dall'affermazione dilagante del paradigma postmoderno. Questi ultimi sviluppi, sia i processi sociali che i mutamenti epistemologici, hanno radicalizzato l'attenzione per la differenza, introducendo da un lato correzioni e dall'altro ulteriori complicazioni nel discorso: dalla differenza, appunto, alle differenze.

Esploriamo la tematica della differenza in un campo circoscritto ma cruciale, quello della differenza di genere. Si tratta non solo di un buon esempio, ma anche di un campo che è stato centrale sia nell'emergere di un pensiero della differenza, sia nella sua successiva complicazione e frantumazione. L'esempio si può anche raccontare come una storia, come la successione, tra la fine dell'800 e la fine del '900, di diverse fasi nella vita dei movimenti delle donne, nella impostazione delle politiche pubbliche e negli orientamenti culturali diffusi. Ecco in breve il copione della storia, che nella dialettica tra differenza ed eguaglianza si presenta prima come la scomparsa, poi come il ritorno e infine come la complicazione della differenza; o che si potrebbe raccontare, a rovescio, come la "parabola" dell'eguaglianza.

La differenza femminile è apparsa nell'800 come una diversità da tutelare, talora in esplicito contrasto e spesso in un'ambigua relazione con il principio di eguaglianza; tra

la fine e l'inizio del secolo la tutela ha prevalso sui pari diritti; poi, nel corso del '900, si è andato via via affermando un orientamento egualitario, che ha ridotto o cancellato le politiche di tutela. Le politiche dell'eguaglianza, inizialmente definita come eguaglianza formale, si sono successivamente rivolte alla eguaglianza delle opportunità, o addirittura dei risultati, introducendo trattamenti differenti in nome dell'eguaglianza. La differenza scacciata è riemersa nei recenti anni '80: da un lato, in alcuni paesi, attraverso movimenti neo conservatori, in reazione alla sovversione sociale prodotta dall'eguaglianza; dall'altro, quasi ovunque in Occidente, attraverso un riorientamento teorico del femminismo stesso, in reazione all'appiattimento, alla logica omologatrice delle politiche egualitarie, ed in associazione con altre più generali correnti culturali critiche nel pensiero contemporaneo.
La critica femminista ha alimentato infatti la critica "postmoderna" dei grandi schemi della teoria culturale e politica occidentale, dei caratteri falsamente universali del liberismo e del marxismo, ed in particolare dei loro caratteri falsamente asessuati: la rivendicazione della differenza femminile è stata, per breve tempo, un'arma critica ed allo stesso tempo una nuova rassicurante certezza, sotto il profilo della conoscenza come dell'azione. Insomma, la teoria della differenza contro i falsi neutri universali ha funzionato un po' come l'antico riferimento alla classe operaia. Per breve tempo, però, poiché l'impulso critico contro la spiegazione generale, l'esercizio della "decostruzione", l'attenzione allo studio dello specifico e del diverso hanno messo in crisi, come chiave di lettura generale, l'appello stesso alla differenza che si era andato profilando negli anni '80 quasi come un nuovo essenzialismo: la ricerca femminista racconta oggi le svariate storie di donne di diverse etnie, diverse preferenze sessuali, diverse culture; ed il nuovo soggetto profetico è scomparso in una molteplicità di identità diverse, le cui matrici e ragioni comuni sembrano divenute difficili da decifrare.
Il progetto postmoderno ha avuto tale successo nel campo della differenza di genere da lasciare sconcertati i suoi stessi assertori. Che cosa sarà di noi, si interrogano le teoriche femministe, le critiche del femminismo "modernista" degli anni '70, ora che la differenza ha non solo smascherato, dal punto di vista conoscitivo e normativo, la neutralità dell'eguaglianza, ma ha anche messo in discussione il rassicurante principio della differenza sessuale? Ora che dalla differenza si è passati alle differenze, quali sono i nuovi criteri per la conoscenza sociale e per il progetto politico?
La crisi di paradigma della teoria femminista è così drammatica come appare dalla produzione scritta e dai dibattiti correnti? Per discutere su questa crisi proviamo ad inquadrare, con alcune rapide evocazioni, le diverse configurazioni storico sociali della secolare tensione tra differenza ed eguaglianza.

La marcia verso l'eguaglianza e il ritorno della differenza

E' giusto, od opportuno, riservare un identico trattamento alle donne e agli uomini, ignorandone le differenze sociali e culturali? E' possibile riconoscere la differenza senza creare diseguaglianza? La contrapposizione tra eguaglianza e differenza ha diviso le femministe stesse in una pluralità di contesti; la tensione tra i due orientamenti è secolare, con prevalenza dell'uno o dell'altro polo, e talora con complessi intrecci tra i due orientamenti.

Alla fine del XIX secolo il movimento per il suffragio è arrivato a celebrare le differenze di genere che la prima ondata di femminismo liberale metteva in discussione, incorporando aspetti dell'etica vittoriana, come la nozione della superiorità morale delle donne, originariamente legata a una visione di separazione delle "sfere" di vita maschile e femminile: in questa ridefinizione, invece, proprio la tradizionale moglie e madre, col suo superiore codice morale, poteva "purificare" la politica, e gli attributi speciali delle donne diventavano la base per includerle nella vita pubblica, piuttosto che per escluderle. Vi è stato cioè "un passaggio dalla retorica dei 'diritti naturali' del liberismo a quella dei 'ruoli naturali'" (1) e la differenza è diventata in quel caso la base per una rivendicazione di eguaglianza. D'altro canto, i critici del suffragio alle donne sostenevano allora non solo che il voto avrebbe portato grandi vantaggi, ma che le esigenze della vita pubblica sarebbero risultate difficili da conciliare con i valori della famiglia e che ciò avrebbe spinto alla fine le donne verso una assimilazione al mondo maschile - argomenti che in quel contesto storico erano certo conservatori, ma che oggi corrispondono a *concerns* centrali per le femministe.
Più che nel campo dei diritti politici la tensione tra eguaglianza e differenza si è sviluppata alla fine e inizio secolo nel campo delle politiche del lavoro, producendo divisioni all'interno dei movimenti delle donne, e tra i movimenti delle donne e i movimenti operai. Durante il secolo XIX in diversi paesi in via di industrializzazione la legislazione sociale ha iniziato a proteggere con norme speciali donne e fanciulli, vietandone o registrandone l'accesso al lavoro in certe condizioni particolarmente disagiate (come il lavoro notturno o il lavoro in miniera). Le politiche di tutela furono avversate dalle componenti liberali, in genere borghesi, del movimento delle donne; e furono appoggiate sia dai conservatori, per l'identificazione della donna con il suo ruolo domestico; sia da un'altra parte del movimento delle donne, più vicina alle lavoratrici, quella delle donne del movimento operaio. A queste ultime, infatti, di fronte alle durissime condizioni di lavoro di allora, la parità a tutti i costi appariva troppo pesante e la tutela appariva un'accettabile compromesso anche in una prospettiva ugualitaria.
Queste politiche di riconoscimento della differenza, affermatesi chiaramente all'inizio del XX secolo rispetto a quelle degli uguali diritti, hanno via via rivelato nei decenni successivi sempre più chiaramente il loro stampo conservatore e il loro effetto di esclusione (2). Le norme di tutela sono state cancellate o ridotte in molti paesi occidentali, seppur in misura e con tempi diversi nei diversi paesi, e nel contempo è stato asserito il principio della parità dei diritti; la definizione di una parità formale ha successivamente dato luogo, a partire dagli Stati Uniti durante gli anni '60, alla ricerca di una parità sostanziale, all'"inseguimento" delle diseguaglianze di fatto nascoste dietro la parità formale, fino a dar forma ad un ampio ventaglio di politiche di intervento orientato all'eguaglianza.
Tra gli anni '60 e gli anni '80 si è andata quindi consolidando nell'immaginario collettivo l'aspettativa di una uniforme evoluzione dei rapporti tra i sessi e delle politiche che li definivano: una aspettativa di progressiva modernizzazione, uno schema evoluzionistico dello sviluppo delle politiche di eguaglianza. Sembrava che i diversi paesi, a partire dai paesi europei, in ritardo nello sviluppo delle politiche egualitarie più attive

(l'Italia particolarmente in ritardo), avrebbero seguito il modello di sviluppo dell'egualitarismo che si era sviluppato tra gli anni '60 e gli anni '70 negli Stati Uniti. Le cose sono invece andate in modo diverso e queste aspettative sono state contrastate e modificate sia negli orientamenti culturali che nelle pratiche sociali e politiche, a cominciare proprio dagli stessi Stati Uniti e dai paesi anglosassoni.
Il "ritorno della differenza" si presenta con molte facce, neoconservatrici e neoradicali, oppure anche semplicemente riflessive rispetto alla fretta della emancipazione egualitaria. Laddove, come negli Stati Uniti, è stata più forte la trasformazione egualitaria della posizione delle donne nel mondo del lavoro e nel mondo pubblico - spinta sia dall'operare intenzionale delle politiche, sia da processi spontanei - essa è avvenuta senza corrispondenti trasformazioni in altre sfere della vita sociale, come l'organizzazione della famiglia e del lavoro. Ha generato quindi squilibri e reazioni sociali: ha prodotto delle vere ferite nella società, sia per la svalorizzazione dei tradizionali ruoli femminili, sia per le fatiche di una emancipazione troppo parziale.
Va detto che, anche se l'emancipazione parziale è stata rilevante nel settore in cui è avvenuta, essa è pur sempre incompleta: l'accesso delle donne al mondo pubblico rimane diseguale, pur essendo segnalata dall'impressionante aumento dei tassi di partecipazione al mercato del lavoro e dalla disaggregazione simbolicamente significativa di zone tradizionalmente maschili, come svariate professioni e persino l'esercito...
Insomma l'accesso all'eguaglianza si presenta come un bicchiere mezzo pieno e mezzo vuoto, ed alcuni attribuiscono lo scontento rispetto agli ideali di eguaglianza alla modestia delle realizzazioni, altri al loro successo. Fatto sta che nel corso degli anni '80 quell'ideale ha cominciato a risultare irrealistico, o insoddisfacente, o non auspicabile. Da un lato si sono sviluppate ideologie e movimenti neo conservatori, spesso a base sociale femminile; dall'altro vi sono state svolte autocritiche nei movimenti femminili stessi, un insieme di ripensamenti che negli anni '80 sono stati etichettati come "postfemminismo".
Al livello culturale, negli anni '80 questi processi sociali hanno trovato un comune referente nelle teorie della differenza sessuale, che hanno permeato lo sviluppo degli *women's studies* nelle scienze umane. Mentre negli anni '70 l'interesse alla ricerca era diretto al processo di "costruzione sociale del genere" - e la stessa diffusione del termine "genere" in sostituzione di "sesso" indicava un'assunzione di eguaglianza tra donne e uomini in polemica con le concezioni riduzionistiche di un destino femminile segnato dalla diversità biologica del sesso - negli anni '80 l'interesse della ricerca si rivolge a cercare le radici primarie di una irriducibile diversità fra i sessi. Il mutamento è indicato dallo spostamento degli interessi di ricerca dal livello storico e sociologico a quello psicologico e psicoanalitico; dall'interesse per l'analisi dell'esperienza della maternità come base per la formazione di concezioni della morale e della cura alternative e più generose. Per esempio, hanno avuto molta influenza studi come quelli di Gilligan sul rapporto madre e bambino (3). La teoria schematicamente suggerisce che il bambino definisce la propria personalità attraverso la separazione dalla madre, mentre la bambina si definisce attraverso l'identificazione con la madre; l'identità di genere maschile è minacciata dalla intimità, quella femminile è minacciata dalla separazione. Così si

costruisce una identità destinata a durare nella vita adulta: gli uomini crescono contro la dipendenza e per l'autonomia, le donne per la soddisfazione dei bisogni altrui reprimendo i propri; gli uomini con una etica dei diritti, le donne con una etica della responsabilità.
La teoria ha un aspetto astorico e neo essenzialista: si propone come valida indipendentemente dai variabili contesti storici ed infatti è stata spesso usata come una chiave passe-partout in diversi campi della conoscenza, come quello del lavoro e dell'organizzazione. E' una teoria apologetica delle qualità femminili, ma proprio perciò è ambivalente, come lo erano gli elogi delle virtù femminili nell'800. Può alimentare le pretese morali e politiche delle donne, ma può anche dare basi per una sanzione dei loro ruoli tradizionali, contro l'emancipazione. Un buon esempio di questa ambiguità si trova nel campo del lavoro, in cui viene suggerita da questa teoria l'idea che vi sia una "preferenza" femminile per svolgere alcune mansioni piuttosto che altre: una preferenza non innata, non insita nella biologia, ma altrettanto universale perché non varierebbe con la varietà delle esperienze di socializzazione. Tale preferenza può includere anche la scelta di non lavorare, di dedicarsi al lavoro di cura: viene così rilegittimata una opzione che nella cultura emancipatoria degli anni '70 sembrava aver perso legittimità. E vengono legittimate anche opzioni interne al contesto di lavoro, come la preferenza per le occupazioni tradizionalmente femminili. Un caso giudiziario recente negli Stati Uniti è diventato paradigmatico di queste nuove tendenze, dell'utilizzo di teorie della differenza per politiche neoconservatrici.
In qualche modo si chiude dunque il cerchio, rispetto ad un percorso secolare. E' tramontato l'ideale androgino che ha accompagnato la spinta verso l'emancipazione?
La differenza è tornata ad essere un punto di riferimento per la teoria e per la pratica femminista; ma quali tensioni rimangono con il principio di eguaglianza? E quali sorprese riserba il percorso critico di fondazione della differenza?

Differenza, diseguaglianza e giustizia

Alcune differenze corrispondono anche a delle diseguaglianze: gruppi di diverse etnie, nazionalità, sesso, religione sono in posizione di svantaggio rispetto a beni a cui tutti vorrebbero accedere in una certa società, come ad esempio l'istruzione e il lavoro.
Tali posizioni di svantaggio - siano esse state create da specifiche pratiche di discriminazione o da altri processi sociali - perdurano indipendentemente dalla definizione formale di uguali diritti. E' giusto, o opportuno, aggredire queste situazioni di diseguaglianza strutturata introducendo dei trattamenti differenti, dei canali privilegiati per i gruppi svantaggiati? E' giusto in altre parole, o opportuno, sospendere temporaneamente il principio di eguaglianza di trattamento di tutti gli individui e trattare alcuni individui diversamente perché appartengono a gruppi differenti? Violare l'eguaglianza formale presente a favore di una più sostanziale eguaglianza futura?
Questo interrogativo è diverso dal precedente: non si parte dal problema del riconoscimento della differenza in quanto tale, ma da un problema di diseguaglianza di fronte alla distribuzione delle risorse ambite. L'interrogativo infatti emerge proprio dall'interno delle politiche egualitarie, in un loro momento "forte", per così dire, rispet-

to all'alterna vicenda narrata nelle pagine precedenti, ed emerge quando, all'interno dell'affermazione dell'eguaglianza, si passa dalle politiche di parità formale a quelle contro la discriminazione, o delle pari opportunità, tra gli anni '60 e gli anni '70, proprio negli Stati Uniti. Ebbene, anche dal cuore delle politiche egualitarie, nel loro stesso dispiegarsi, riappare la tensione nei confronti della differenza ed essa crea notevoli complicazioni e forse contraddizioni rispetto alle premesse stesse di quelle politiche.
L'interesse per la discriminazione e le politiche antidiscriminatorie nascono e si affermano non a caso negli Stati Uniti, nel paese occidentale in cui maggiore è stato il contrasto tra gli asseriti principi generali di eguaglianza e la pratica della più visibile esclusione, quella sulla base della razza. La legge per i diritti civili, il Civil Rights Act del 1964, è stata la pietra miliare delle politiche antidiscriminatorie ed ha definito come illegittima anche la discriminazione sulla base del sesso. Negli anni successivi, tra gli anni '60 e '70, si è venuto a formare un vasto ed articolato assetto normativo ed istituzionale volto a rimuovere la discriminazione in ogni campo della vita sociale, con particolare riguardo ai settori dell'istruzione e del lavoro, ampliando il concetto di discriminazione da quella individuale a quella di gruppo, o "sistemica", e definendo come discriminatorie le pratiche spesso inconsapevoli che producono sistematicamente situazioni di svantaggio per alcuni gruppi. La *affirmative action*, l'azione positiva, è un cardine di questa politica: è un intervento che consente di operare dei trattamenti di favore per rimediare agli effetti di discriminazioni passate, o anche per modificare situazioni ritenute ingiuste per alcuni gruppi. Gli interventi di azione positiva sono stati talora delle vere opere di ingegneria sociale, che hanno modificato, ad esempio, l'intera struttura scolastica ai diversi livelli, o le politiche del personale delle aziende o le politiche contrattuali dei sindacati, spezzando in modi significativi la segregazione di razza e di sesso che permeava la società americana. Nella società del *melting pot* questa politica si può anche leggere come la filiazione naturale delle politiche di integrazione di una nazione di emigranti, di una comunità di diversi; e certamente è stata, rispetto a quell'impresa di fondazione nazionale, una articolazione moderna e precisa della logica dell' "e pluribus unum" (4). Proprio perciò é interessante vedere quali tensioni si siano sviluppate, nel corso degli anni '80 e '90, a partire da quella logica; e come la unificazione egualitaria del pluralismo, la unificazione "buona" per definizione, sia minacciata dalle differenze.
Il primo, ovvio problema che una politica di trattamento differente incontra è l'obiezione dell'egualitarismo liberale. Quali che siano le ragioni per cui un gruppo sociale è svantaggiato, fossero anche dei torti precedentemente subiti, esse non giustificano una ingiustizia presente: ad esempio, trattare uno studente bianco peggio di uno studente nero per rimediare ai torti che la "gente bianca" ha inflitto alla "gente nera", lede, in nome della giustizia sociale, un inalienabile diritto di ogni individuo ad essere trattato come eguale. Questa classica obiezione è stata sollevata nei tribunali in svariate versioni (5); ha sempre avuto un certo riscontro sociale nella opposizione manifestata contro le azioni positive anche negli anni di imperante progressismo; ed ha alimentato uno dei più ricchi dibattiti filosofici contemporanei sulla definizione della società giusta, dei diritti e delle politiche della cittadinanza (6).

Per molti anni, tra gli anni '70 e gli anni '80, sono prevalse peraltro soluzioni di compromesso e vi è stato un discreto consenso sociale attorno a tali politiche; nel corso degli anni '80, invece, è esploso un confronto violento. In primo luogo, le politiche conservatrici degli anni '80 si sono opposte in generale alla ingerenza pubblica nei meccanismi di mercato ed hanno riabbracciato le bandiere del liberalismo, coniugato al neodarwinismo sociale montante nel periodo. Esse hanno sottolineato gli effetti negativi delle politiche di azione positiva ed in particolare gli effetti perversi che queste avevano proprio sui gruppi "protetti": la nuova borghesia nera e le donne in carriera sono diventati i nemici delle azioni positive, ovvero un terreno di reclutamento dell'opposizione alle pari opportunità. In secondo luogo, e forse più interessante nella nostra prospettiva, sono esplose le rivendicazioni di innumerevoli gruppi di "differenti". Neri e donne bianche erano stati l'inizio; ma poi la lista si è velocemente allungata: donne afro americane, ispaniche, indie; afro americani, gruppi discriminati per età; i *fat people*; ecc. ecc.. Si è andata sviluppando una guerriglia di *entitlements*, in cui si è andato sbiadendo il contorno generale che ad essi dava senso: il progetto di contrastare la discriminazione, di sviluppare una società giusta che rendesse effettiva la cittadinanza formale. L'esplosione di rivendicazioni separate, in nome di differenze non misurate su un metro comune di eguaglianza dei diritti, ha modificato la stessa politica delle pari opportunità, rendendola poco difendibile rispetto ai suoi sostenitori liberali.
Un esempio specifico di questo cambiamento di prospettiva, che reintroduce la differenza dall'interno della politica dell'eguaglianza, si trova nella tematica delle molestie sessuali. E' questo un argomento che nasce dentro la politica antidiscriminatoria: non si tratta di trattamenti privilegiati nei confronti di un gruppo svantaggiato, ma di rimuovere barriere che costruiscono uno svantaggio ambientale per alcuni cittadini (per le donne lavoratrici, ad esempio). La logica iniziale è dunque strettamente egualitaria: creare per tutti pari opportunità. I primi interventi normativi, infatti, come le *Guidelines on Sexual Harassment*, nascono proprio all'interno della legislazione antidiscriminatoria: sono direttive rivolte a rendere l'ambiente di lavoro similmente accessibile, non ostile, a uomini e donne. Così è anche la giurisprudenza nei primi anni. Abbastanza rapidamente, però, nel corso degli anni '80, la questione si complica. Che cos'è una molestia sessuale? Come si definisce un ambiente ostile? Vi sono dei parametri "oggettivi"? Che spazio hanno i diversi soggetti, le diverse culture nella definizione di che cosa è ostile? Non solo il contenzioso giudiziario aumenta, segno dell'importanza crescente del problema nella società. Ma le stesse basi del contendere, si ridefiniscono secondo una polarità: se è vero che l'essere "vittima" di una molestia è difficilmente provabile se non dalla vittima stessa, ciò che conta nel giudizio è solo il vissuto soggettivo della vittima oppure bisogna (al di là del problema della prova) cercare di riferirsi a un parametro neutro tra vittima e aggressore, come quello che gli americani chiamano nel linguaggio tecnico lo standard della *reasonable person*? O non è un diritto dei soggetti definire, negli specifici contesti, ciò che lede la loro dignità?
A partire da un approccio strettamente egualitario ci si ritrova di fronte al problema che soggetti differenti rivendicano una titolarità propria rispetto ai diritti e questo urta contro la cornice iniziale di eguaglianza in cui le politiche stesse contro le mole-

stie sessuali sono state definite. In questa prospettiva possiamo interpretare l'esplosione recente della casistica giudiziaria sulle molestie, a partire dai casi esemplari che hanno interessato i media internazionali, come quello di Clarence Thomas/Anita Hill ed altri. Questi sono solo l'iceberg di un processo sociale diffuso. La tendenza è verso l'emergere di una titolarità speciale di un gruppo presumibilmente oppresso - le donne - a definire ciò che le offende; e questo sviluppo si oppone a una giurisprudenza sessualmente neutra.

La differenza ritorna dunque, nello *hardcore* delle stesse politiche dell'eguaglianza, proprio di quelle più avanzate. Ciò accade in parte per lo sviluppo logico teorico di alcune problematiche; accade però anche poiché nella società sono in atto contemporaneamente dei nuovi processi. Mentre da un lato, negli anni '70 e '80, ideologi, politologi ed ingegneri sociali promuovevano le politiche delle pari opportunità in chiave egualitaria, dall'altro lato e allo stesso tempo si è sviluppato in diversi paesi del mondo un revival delle differenze, di nuove identità e nuovi orgogli etnici e nazionali e questi hanno portato materia per contestare le cornici prima accettate dall'eguaglianza. O meglio, per riempirle di contenuti diversi, delle rivendicazioni di identità differenti, che stentano a riconoscersi nell'iniziale linguaggio comune della cittadinanza.

La rottura postmoderna e la frantumazione della differenza

La pressione delle differenze ha presentato una domanda di apertura politica ed insieme di nuova fondazione teorica. Dall'interno della stessa cultura femminista, negli anni '80, l'asserzione della diversità di genere è stata subito seguita, quasi incalzata dall'asserzione di diverse differenze: contro il protagonismo e lo schematismo delle femministe bianche eterosessuali e colte, nel movimento delle donne è stata reclamata attenzione per le diverse storie delle donne nere, ispaniche, nipoti di schiavi, lesbiche e variamente diverse per intrecci di razza, classe e vicende storiche. Questa è stata una pressione politica all'interno del movimento delle donne ed ha contribuito alla ricerca di una fondazione teorica della differenza, di fondazione di richieste che si riconoscono a fatica nelle maglie strette del liberalismo degli uguali diritti. Nel bisogno di questa fondazione teorica e nella critica al pensiero liberale di derivazione illuministica si situa l'iniziale alleanza tra la teoria femminista e il progetto postmoderno. Questa alleanza parte però già carica di esigenze teoriche con implicazioni pratiche che sono come una bomba ad orologeria. L'affermazione del principio della differenza a fronte dei falsi neutri universali si accompagna fin dall'inizio ad un interrogativo: esiste una differenza più significativa di altre, come era parsa a suo tempo la differenza di classe rispetto alla pretesa neutralità del pensiero borghese? E come ci si orienta in mezzo alle differenze? Uscendo dalle maglie strette del liberalismo degli uguali diritti, quale sarà il nuovo bandolo filosofico? Come si può rifondare un progetto di conoscenza e di intervento sociale?

Nella asserzione delle differenze il progetto postmoderno e la teoria femminista hanno avuto un percorso in comune, nella loro *pars destruens* , nella critica dei falsi universali. Come scrive nel suo libro recente Jane Flax (7) la posizione postmoderna, con le sue tesi della "Morte dell'Uomo", della "Morte della Storia" e della "Morte della Metafisica", ha un equivalente nella critica femminista del soggetto razionale neutro e universale che avrebbe permeato la filosofia occidentale e la narrativa storica. L'invito postmodernista ad una radicale contestualizzazione del soggetto coincide con il progetto femminista che disvela le rimosse differenze in genere e mostra come esse siano cruciali nella strutturazione dell'identità. E la rottura della omogeneità e della linearità di certe "grandi narrazioni" storiche permette di ricostruire la storia di gruppi sociali diversi ed ignorati, di costruire narrative con scansioni, con categorie di periodizzazione diverse (l'Africa non ha storia, credeva Hegel; e fino a poco tempo fa anche le donne non avevano storia).

Ma fino a dove si spinge la contestualizzazione del soggetto, l'attenzione per le diverse pratiche sociali e linguistiche che lo costituiscono? "Man in forever caught in the web of fictive meaning, in chains of signification, in which the subjects is merely another position in language" scrive Jane Flax. Così, in un altro libro recente, Judith Butler (8) afferma che anche il *gendered self* non esiste: "...there is no gender identity behind the expressions of gender; that identity is performatively constitued by the very 'expression' that are said to be its results". La visione del sé è quella di un attore in maschera, che però non ha identità dietro la maschera. Le molteplici presenze contestuali sono combinazioni linguistiche che possono solo essere evocate dalla narrazione. Secondo una visione conseguente ed estrema del postmoderno, non esiste uno spazio di autonomia del soggetto, al di là di queste configurazioni linguistiche. Le conseguenze di ciò si spingono a negare ogni costruzione interpretativa sui soggetti storici.

Dunque l'abbandono delle grandi narrative essenzialiste e monocausali, il rifiuto delle pretese egemoniche di qualsiasi gruppo sociale o organizzazione di "rappresentare" le forze della storia e del progresso, mettono in discussione anche le metanarrative femministe, come la loro ricerca di una essenza della "maternità" come un universale che attraversi tutte le culture, o la loro pretesa di costruire una teoria generale dell'oppressione femminile e del dominio maschile. In questo senso, le teorie della differenza sessuale, emerse dalla critica dell'universale neutro, sono esse stesse travolte dalla critica che ne ha legittimato l'emergere.

E' a questo punto che si rompe l'alleanza tra il progetto femminista e il progetto postmoderno. Nel passaggio dalla differenza alle differenze risultano messi in discussione i valori che hanno offerto contenuti, che hanno garantito identità al movimento delle donne; nell'asserzione della radicale discontinuità del soggetto sembra negato il diritto stesso alla memoria storica del movimento, il suo inserimento in una tradizione e un progetto di emancipazione che risultano "modernisti". Lo sgomento e la confusione sono grandi, specie nell'ambito della componente teorica del femminismo. (9)

Ma non tutti i guai vengono per nuocere ed i momenti di confusione, buttando per aria molte certezze, possono preludere a nuove definizioni. Sembra a chi scrive che vi sia stato un falso nemico - il Soggetto neutro universale che muove la Storia; una falsa certezza - la teoria della differenza; un falso dilemma - quello tra differenza e differenze, tra soggetto redentore e perdita di ogni soggetto e progetto dotato di senso.

Il Soggetto universale non è stato criticato ieri per la prima volta: anche se i guasti delle grandi narrative si sono rivelati nella loro dimensione tragica con il crollo delle

utopie totalitarie del XX secolo, già alla fine del XIX la storia del pensiero sociale ha contribuito in vari modi a fornire strumenti per questa critica. La teoria della differenza, che ha incorporato importanti spunti critici e temi sostantivi ed ha alimentato la teoria e la pratica femminista, presentava gli stessi rischi delle teorie del proletariato di buona memoria: guai ancorare le proprie capacità di conoscenza al punto di vista di un soggetto ipostatizzato, fosse anche un soggetto oppresso e potenzialmente dinamico e sovversivo; e men che meno ancorare a quel soggetto salvifico i propri disegni di riscatto sociale. A mio parere, non vi sono a priori che garantiscono l'esistenza o l'assenza dei soggetti nella storia: questa può essere solo una materia di ricerca empirica, la filosofia deve cedere il passo alle scienze sociali.
Similmente, nell'etica e nella definizione delle politiche, la lezione che si può ricavare è quella di sfuggire al falso dilemma tra una teoria rigida dell'eguaglianza e della giustizia ed il suo abbandono nella rincorsa di domande sempre più locali e frammentate (10). Si può lavorare ad una articolazione crescente dei principi generali, si possono allargare le maglie strette dell'egualitarismo liberale verso una ridefinizione della cittadinanza che non venga lacerata ma arricchita dalle differenze. Ma il lavoro da svolgere è lungo e difficile.

Note

(1) D. L. Rhode, "Justice and gender", Harvard University Press, Cambridge Mass., 1989.

(2) Nel caso italiano ciò è apparso evidente nelle politiche del fascismo: la donna-madre, fattrice di italiani, era "protetta" non solo dai lavori nocivi ma anche da quelli di prestigio. Nei paesi anglosassoni i divieti di accesso comprendevano molti dei lavori manuali tipicamente maschili meglio retribuiti.

(3) C. Gilligan, "In a Different Voice", Harvard University Press., Cambridge Mass., 1982.

(4) "E pluribus unum" è il motto adottato nel "Great Seal" degli Stati Uniti (stampato anche sul dollaro!) per rappresentare l'Unione composta di Stati separati e voluta da essi. La frase è anche una evocazione simbolica della American "melting pot" in cui sono confluiti emigranti da tante nazioni.

(5) Il più famoso di questi casi giudiziari è stato il caso Bakke. Si tratta della causa di uno studente bianco contro la decisione dell'Università della California che aveva privilegiato nelle sue ammissioni un candidato nero, trattando il candidato bianco "ingiustamente" a causa della politica preferenziale adottata dall' Università a favore dei candidati provenienti dalle minoranze etniche.

(6) Cfr. J. Rawls, "A theory of Justice", che più di ogni altro lavoro ha rinvigorito la filosofia politica ed ha fortemente influenzato i discorsi contemporanei sulla cittadinanza.

(7) "Psychoanalysis, Feminism and Postmodernism in the Contemporary West", University of California Press, Berkeley California, 1993.

(8) "Gender Trouble: Feminism and the Subversion of Identity", Routledge, London, 1989.

(9) Basta guardare ai titoli allarmati delle pubblicazioni sull'argomento usciti negli anni '90, che includono termini come "crisi", "passaggio", "destabilizzazione". Per due diverse ottime ricostruzioni di questi dibattiti cfr. M. Barret and A. Philips, "Destabilizing Theory", Polity Press, London 1992 e S. Benhabib, "Feminism and the Question of Postmodernism", in "The Polity Reader in Gender Studies", Polity Press, London, 1994.

(10) Indicazioni in questa direzione si trovano nei bei saggi di A. Bessusi ("Ragioni 'fredde' e ragioni 'calde'. Per una difesa della comunità"), e di A. E. Galeotti ("La differenza politica non metafisica") in "Filosofia, politica e società", "Annali di etica pubblica 1/1995", a cura di S. Maffettone e S. Veca, Donzelli, Roma, 1995.

Seminario-mostra, Alberto Abriani, *Le avventure di Laocoonte* (foto Rosselli)

2

Spazi per il pensiero

sentimentalismo devozionale; ma la tesi non troverebbe credito da parte di coloro che ironizzano sulla superficialità di un incontro che non intacca l'incommensurabilità fra due tradizioni consolidate in millenni di storia.
Sospeso fra la curiosità e la diffidenza sono arrivato a Plum Village nel periodo del ritiro invernale dei monaci. D'estate il convento è "aperto" e non richiede che gli ospiti si uniformino più di tanto alle regole del luogo; d'inverno chi vi entra accetta invece di osservare la disciplina della comunità: così il visitatore occidentale si trova a vivere la tradizione di ospite in un'isola di esuli orientali, ospitata a sua volta dall'occidentalissima Francia. E inizia il suo stage di addestramento all'arte del malinteso. Il posto è sperduto fra le colline di vigneti della Dordogna, in un paesaggio che evoca immagini dell'Italia centrale. Ma appena lo si raggiunge i segni iniziano a confondersi. Si tratta di un'ampia spianata ellittica, delimitata tutt'intorno da un bosco di querce. All'interno di questo recinto naturale si aggirano brandelli di memoria strappati a luoghi lontani: boschetti di bambù, foglie di loto che galleggiano in un piccolo stagno, giardini di pietre, vialetti di ghiaia che conducono a capanne di legno, piccole costruzioni che contengono solo qualche cuscino per la meditazione. La casa di Thich Nhat Hanh, sospesa su palafitte, protende la terrazza verso le colline di fronte; da lì quando la nebbia striscia nelle valli, si ha la sensazione di vivere in un'antica stampa cinese e l'illusione si dissolve solo quando la bruma si alza, rivelando le vigne. Le grandi sale per la meditazione collettiva, le cucine, gli alloggi dei monaci e degli ospiti sono distribuiti in alcune cascine del Seicento, che all'esterno appaiono del tutto simili a quelle dei piccoli villaggi intorno, ma che all'interno sono state perfettamente adattate al gusto, allo stile di vita e alle esigenze di una comunità di religiosi vietnamiti.
L'ingresso nel ritmo di vita del convento è *soft*. Secondo i dettami della filosofia del maestro, la regola è stata notevolmente addolcita rispetto alle rigorose tradizioni del buddismo zen. Le ore di meditazione seduta, durante le quali non è obbligatorio assumere la posizione canonica del loto, sono solo quattro, dalle sei e mezza alle otto e mezza del mattino e dalle otto alle dieci di sera, alle quali si aggiunge talvolta un'ora di meditazione camminata lungo i vialetti del recinto. Ma questo apparente lassismo è smentito da una ritualizzazione di tutti i gesti della vita quotidiana, di cui l'ospite avverte subito la pressione continua e avvolgente. I tre pasti, silenziosi e interminabili, il lavoro, lentissimo e preoccupato della consapevolezza dei gesti più che dell'efficienza dei risultati, le abluzioni, la cura delle stanze, il riposo, le passeggiate: tutto parla di un'esperienza altra del tempo, concentrata sull'attenzione per il qui e l'ora, continuamente ribadita da frequenti rintocchi di campana che impongono a tutti di sospendere l'attività per un breve raccoglimento. Una pratica che viene associata anche agli squilli del telefono e ai rintocchi dell'unico orologio del convento.
Questo insegnamento pratico che passa attraverso l'organizzazione del luogo e i movimenti dei corpi che lo abitano, prevale su quello trasmesso oralmente, di cui sarebbe qui meno interessante parlare. Lo spaesamento procede per gradi, nel gioco di fraintendimenti fra le diverse componenti della comunità. Intorno ai monaci ruotano infatti presenze coinvolte in misura assai diversa nella loro esperienza: occidentali convertiti, che hanno adottato il cranio rasato e il saio delle loro guide; monaci di altre correnti e

patrie buddiste; vietnamiti laici che vivono da anni in America e in Europa, impegnati a riscoprire le proprie radici culturali; infine, europei ed americani laici che sono approdati qui sospinti dai motivi più diversi: dalla curiosità culturale alla crisi esistenziale, dal semplice desiderio di una vacanza "diversa" alla ricerca di energie per affrontare qualche difficile passaggio di vita. Gli equivoci proliferano in conversazioni che adottano come esperanto un inglese parlato spesso in modo bizzarro e approssimativo, ma si moltiplicano soprattutto nei modi del tutto soggettivi con cui ognuno aderisce a ritmi di vita, pratiche rituali e gestualità che non fanno parte della sua identità culturale e del suo patrimonio biografico.
Nel corso di tale esperienza ho oscillato fra momenti di ironico e divertito distacco nei confronti dei comportamenti miei e altrui e momenti di profonda partecipazione: mi ha irritato la devozione dei monaci occidentali, appiattiti sull'ingenua fede dei neofiti, mi ha impressionato l'imperturbabile serenità dei monaci vietnamiti, ho condiviso lo scetticismo degli ospiti europei nei confronti delle forme più esasperate di ritualismo, ma soprattutto mi ha interessato l'atteggiamento dei laici di origine vietnamita, la disinvoltura con cui essi abitavano i mondi che si intrecciavano in quel luogo, immergendosi nella loro tradizione per rientrare senza problemi nelle abitudini assimilate in anni di vita nelle metropoli occidentali. E' soprattutto parlando con loro e osservandoli che credo di aver capito l'infondatezza del presupposto di "incomunicabilità" fra tradizioni culturali diverse.
L'impressione che davano non era affatto quella di aver operato un'armoniosa sintesi fra due culture, ma piuttosto quella di aver imparato a "saltare" con grande disinvoltura dall'una all'altra, come se, attraverso una sequenza di cambiamenti di stato, fossero in grado di adattare i propri gesti e il proprio modo di pensare a contesti comunicativi diversi. Questo atteggiamento mi ha indotto a riflettere sulle mie stesse reazioni nei confronti dei costumi di vita che in quei giorni avevo volontariamente accettato di adottare senza poterne afferrare che in minima parte il significato storico, simbolico, culturale. Non è forse questa la condizione dell'altro che si immerge per necessità nella nostra cultura? Capisce e subisce? Un po' capisce, un po' subisce, ma soprattutto "equivoca", si appropria di lingue, costumi, pratiche, tradizioni che non appartengono alla sua storia, modificandosi e modificandole, ci fa credere di essere diventato come noi per meglio difendere la propria identità, mentre ce lo fa credere cambia se stesso e cambia anche noi. E io – con la differenza che la motivazione non era la necessità dell'esule, ma la curiosità dell'occidentale che si era fatto ospite dei propri ospiti – mi stavo comportando esattamente nello stesso modo. Sforzo di comprensione? Per nulla. Comprendere significa assimilare la cultura dell'altro nella propria. Piuttosto mimesi, ambiguità , equivoco, malinteso produttivo. Non un farsi incontro tra culture ma il tentativo di scambiare qualcosa. Un qualcosa che diventa una cultura diversa dalle due culture che interagiscono. Credo che l'affermazione di Thich Nhat Hanh sullo sviluppo di un buddismo occidentale vada intesa esattamente così: non gli occidentali che "comprendono" la filosofia buddista, ma gli occidentali che, a contatto con il buddismo, escono dalla propria tradizione per costruirne un'altra, che non è affatto quella buddista tradizionale.
Insomma, quello di cui sto parlando non è una *sintesi*, ma un esercizio di *sincretismo*

culturale. Il sincretismo è l'unica modalità storica di relazione fra differenti tradizioni religiose che abbia consentito di evitare l'antagonismo fra opposti integralismi. Certo molti teologi lo considerano con disprezzo, come sinonimo di confusione, ambiguità, mescolanza puramente immaginale, mitica, una sorta di meticciato spirituale fondato su accostamenti metaforici. E anche il sincretismo culturale suscita reazioni di rigetto, lo si considera come una giustapposizione di elementi che non attinge l'armonia di una superiore sintesi. Ma questo ideale di armonia, sintesi, rigore, progetto, stile non è forse un prodotto idiosincrasico della nostra specifica identità culturale? E, a mano a mano che questa identità ha iniziato a viversi come precaria, assediata nei suoi stessi luoghi storici, questo ideale non si è trasformato in tentazione di chiudersi, di divenire un ghetto a fianco di altri ghetti, sia pure il più forte, ricco e potente? L'ospite assediato dai propri ospiti, non più sicuro di imporre la propria sovranità sul territorio, incarognisce, immalinconisce fra annunci apocalittici di "fine della storia". Ma il vero problema non è la storia, quanto il ridursi della riconoscibilità dei segni della "nostra" memoria sul "nostro" territorio. Ecco perché, quando i ghetti diventano troppi, essi non possono più funzionare come quei luoghi di scambio di cui parla La Cecla. Ecco perché gli spettri degli spiriti nazionali si rianimano e i macellai della pulizia etnica si mettono in marcia contro le città meticce, come è successo a Sarajevo.
L'arte del malinteso non può più fiorire ai contorni di spazi ristretti e chiaramente delimitati. Richiede un nuovo livello di consapevolezza; richiede la capacità di operare, senza pretendere di "comprenderli", con la pletora dei segni che si mischiano su un territorio che tende ormai a diventare "meticcio" in tutta la sua estensione, sul quale si incrociano pluralità di memorie storiche; richiede lo sguardo "risvegliato" di cui parla lo zen, uno sguardo che si posa su di ogni cosa come se la vedesse per la prima volta. Una delle storie zen preferite da Thich Nhat Hanh racconta l'esperienza di un immaginario astronauta in viaggio sulla Luna. Costui, al momento di ripartire, si accorge che l'astronave è guasta. Sa di avere una scorta di ossigeno limitata ed è consapevole che nessuno potrà arrivare in tempo per salvarlo e riportarlo sulla Terra. Guardando il suo pianeta dalla Luna, mentre attende la fine inevitabile l'astronauta raggiunge l'illuminazione: solo in quegli ultimi momenti diviene in grado di vedere le struggente bellezza della Terra, del mondo in cui ha passato tutta la vita senza apprezzarne i doni. Ascoltando quell'apologo mi sono tornate in mente le riflessioni di Alberto Boatto sullo "sguardo da fuori", sullo choc culturale prodotto dall'immagine della Terra che le telecamere dei satelliti ci restituiscono dallo spazio, specchio tecnologico che ci rivela per la prima volta il nostro mondo in tutta la sua "piccolezza". Mi sembrano due buoni esempi dello sguardo che consentirebbe di superare lo spaesamento che ci afferra entrando nella piazza metaforica con cui abbiamo iniziato il discorso: chi saprà fissarne la "confusione" come se la vedesse per la prima volta, forse non sarà tentato di guardare con nostalgia il vecchio monumento all'inimicizia.

Seminario-mostra,
a fianco:
George Teyssot,
L'occhio desiderante: re-Visione della Slow House di Elisabeth Diller e Ricardo Scofidio
(foto Rosselli);
in alto:
Lo spazio centrale dopo il seminario
(foto Rosselli)

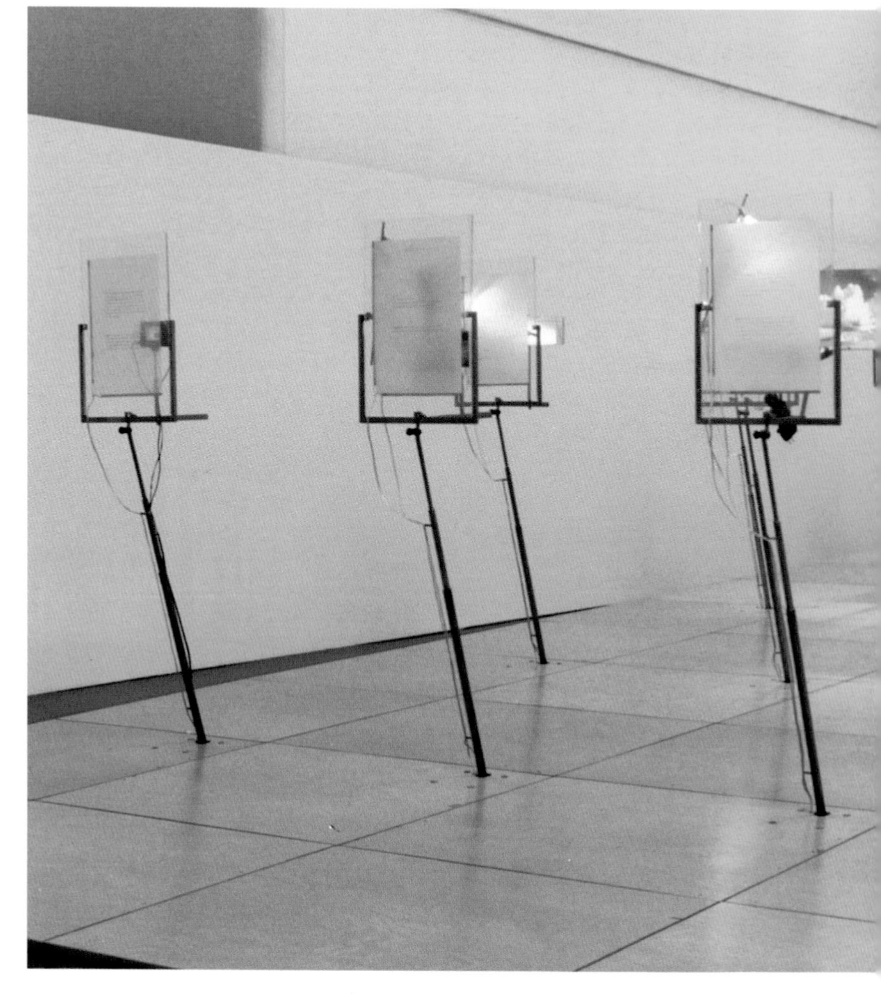

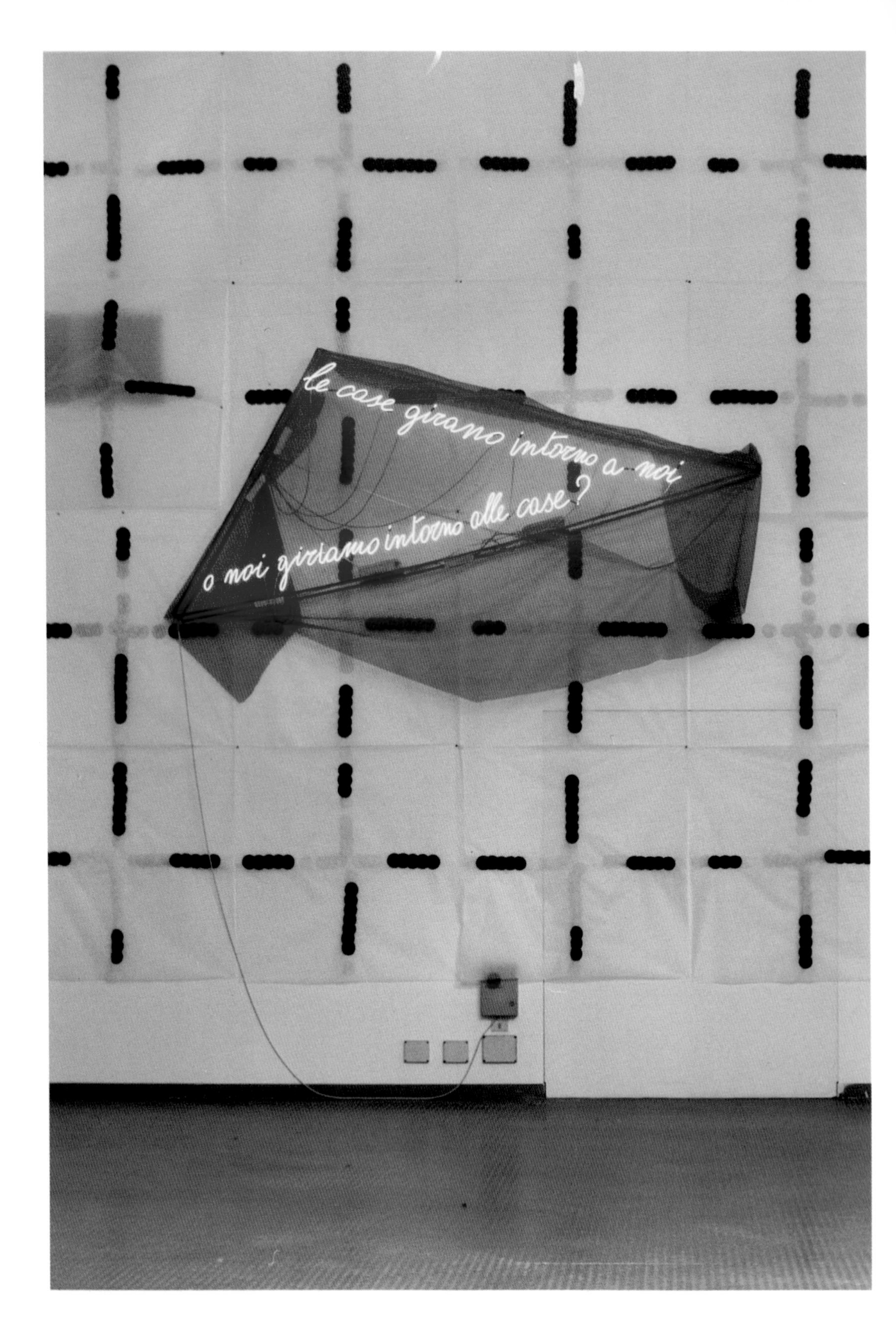
le case girano intorno a noi
o noi giriamo intorno alle case?

Pensare con la matita in mano

Laura Boella

"Pensare con la matita in mano" fu la definizione maliziosamente critica usata da Adorno per il suo amico architetto, sociologo e filosofo Siegfried Kracauer. Insieme A Walter Benjamin e a Ernst Bloch, Kracauer modellò la sua "sociologia materiale" su un procedimento costruttivo ispirato alle nuove architetture metropolitane, che negli anni '30 segnavano visibilmente il paesaggio di Berlino come di Parigi. "Pensare con la matita in mano" implica lentezza accurata, scrupolo descrittivo, penetrazione del dettaglio e scomposizione del particolare, proprio come su un foglio da disegno vengono disposti rigorosamente nello spazio piccoli punti, tracciate linee diverse, il cui concatenamento restituisce uno schema essenziale della realtà. Questo modo di pensare ha un interessante rapporto con il metodo fenomenologico, prima ancora che nelle sue espressioni teoriche, nel gesto docente di un pensatore come Georg Simmel, fenomenologo non di scuola, ma si potrebbe dire per vocazione. Ludwig Marcuse ricorda un gesto di Simmel quando faceva lezione: "Come tenendosi in bilico sull'orlo della cattedra frugava nell'aria con la matita appuntita, quasi come in una materia invisibile". A questo gesto seguiva un secondo: "Abbandonava l'orlo della cattedra, la matita puntata si inclinava tra le dita; poi col capo chino attraversava muto la pedana, finché si faceva forza e riprendeva la lezione".

I due gesti paiono delimitare una sequenza in cui la matita appuntita che fruga nell'aria, scava nella materia più sfuggente, la materia del pensiero, ma a un certo momento si ritrae, se non sconfitta, distolta o distratta dal risultato appena raggiunto o intravisto, quasi immemore, indifferente, pronta a ricominciare da capo da un'altra parte, più che ad andare avanti. Siamo di fronte alla descrizione materiale di un gesto di pensiero: spingere l'analisi nell'atmosfera rarefatta della realtà più sottile o della non realtà, per poi riportarla bruscamente sul terreno dei fatti empirici, toccando il punto oltre il quale il pensiero o non è ancora formulato o non può più essere espresso in parole. E' il problema che Kracauer aveva messo in luce a proposito della costruzione dell'immagine fotografica. Egli notava una differenza tra la foto dell'attricetta al Lido di Venezia - immagine che non rimanda ad altro che a se stessa, alla somma dei particolari (la frangetta, le ciglia) - e la fotografia della nonna. Per quanto ridotta a "manichino archeologico", qui l'immagine non è autosufficiente: l'irriconoscibilità della nonna, con il suo ridicolo chignon, il vitino di vespa, la crinolina e il giubbetto alla zuava, rinvia a qualcosa che sta oltre essa, qualcosa di puramente negativo, al fatto che "l'originale è da lungo tempo sotto terra", ma in ogni caso è esistito. L'attricetta è una copia senza originale, a cui basta la foto per essere riconosciuta come "la dodicesima parte di una dozzina di Tillergirls"; al contrario, per ricostruire l'immagine della nonna è necessario il sostegno della sua storia, come ce l'hanno raccontata i genitori; ha bisogno cioè di quel margine di oscurità e ambiguità del dato che costituisce la materia del lavoro della memoria, delle sue deformazioni, rimozioni e enfatizzazioni, in una parola, della sua capacità di trasformare un tracciato di linee in una storia.

Rintracciamo un altro luogo del problema soffermandoci su un altro gesto del pensiero, dove la matita è sostituita da un bastone puntato contro un oggetto materiale, che gli fa resistenza. Protagonista è questa volta Husserl, il fondatore della fenomenologia e colui che invitò un'intera generazione (tra cui Adorno, Kracauer etc.) ad andare alle

Nella pagina a fianco: Seminario-mostra, Mario Merz, *Una parete immaginaria* (foto Rosselli)

cose. Un giorno, tornando dal seminario, (intorno al 1913) Husserl confessa a Helmut Plessner la sua ostilità verso l'idealismo tedesco e la motiva asserendo la sua costante ricerca della realtà. "E nel dir questo prese il suo sottile bastone da passeggio dal manico d'argento e lo puntò con forza, sporgendosi in avanti contro il montante della porta". Questo gesto può indicare a prima vista la figura base della fenomenologia: il bastone, l'atto intenzionale, e la porta, il suo riempimento obiettivo. Le cose si complicano se il movimento del puntare viene considerato non dal lato del bastone (dell'intenzionalità soggettiva), ma da quello della realtà. Allora la realtà invisibile in cui frugava la matita di Simmel e la netta materialità della porta appaiono più vicine di quanto sembri. Ciò che il gesto della matita e del bastone hanno infatti in comune è l'obbligo della descrizione più accurata della realtà, quel raffinamento della visione che si può senz'altro attribuire al metodo fenomenologico e che corrisponde alla preoccupazione costante di essere entrati in contatto con la realtà, nell'accertamento incessante della presenza del reale attraverso il vedere. Ma è chiaro che l'instancabile operosità di chi deve accertarsi di aver visto o toccato una cosa mima l'afferramento dell'oggetto: il potere evocativo dell'immagine ha come contraltare un indebolimento della presa sul reale. Basta pensare a un famoso gesto docente di Husserl, passato nel pr. 47 di *Idee per una fenomenologia*: il toccarsi della mano destra e della mano sinistra venivano espressi attraverso movimenti rotatori dell'una e dell'altra mano nell'aria, in un incessante girare attorno, mimesi dell'afferramento.

"Pensare con la matita in mano", che trovi espressione nelle volute in aria della matita del professore, magari accompagnate da una brusca impennata sul bordo della cattedra, oppure nell'assemblaggio di punti e di linee tracciate sul foglio da disegno dell'architetto, è dunque simbolo dello sforzo di concretizzazione del pensiero, che, invece di assicurare la presa diretta sul reale, mette piuttosto di fronte al cortocircuito tra "fatto" e "costruzione", lo stesso rintracciabile nella materialità "tecnica", costruita dell'immagine fotografica e nelle architetture che formano il paesaggio della metropoli.

Segnalare l'incommensurabilità di esperienza e pensiero, il fallimento della ricerca della realtà è stato un gesto tragico, tipico della coscienza critica della modernità. Con molta più forza si protendono verso la realtà attuale postmoderna l'inquietudine, il fluttuare, l'oscillazione del gesto del pensare con la matita in mano. Essi suggeriscono infatti una cadenza di variazione, esperimento, ripresa, ritorno a capo. Lo sforzo di afferrare una realtà che sfugge trova infatti la sua espressione più adeguata nelle procedure narrative , nelle "storie" che elaborano e rappresentano il margine imprendibile del dato reale, la terra incognita abitata da parole, gesti, ascolto, sogni e ricordi, che sempre si rinnovano - vengono raccontati in continuazione, letti e riletti come un romanzo d'appendice - ma non lasciano traccia di schemi razionali o forme e progetti compiuti.

C'è una *dimensione narrativa della costruzione*, risultante dalla tensione tra lo schema formale astratto e l'ornamento, la cifra vuota ed esangue, tra razionalizzazione e ragione che razionalizza troppo poco, lasciando incustodito il varco per trasgressioni mitologiche o pulsioni arcaiche. La costruzione, vista sotto il profilo delle storie che la abitano, non è progetto, tanto meno forma compiuta e ordinata, bensì riflesso nello specchio, proliferare di immagini e di realtà parallele, dislocazione spaziale (cfr. gli spazi sotter-

ranei, subacquei e palustri della metropoli, i suoi antri e le sue cavità), movimento su una pluralità di piani, articolazione del reale nella dimensione della porosità, della stratificazione, dei luoghi intermedi tra interno ed esterno.
Procedure, trame, meccanismi narrativi permettono di interpretare il momento della costruzione in una realtà dissociata e sparpagliata, che ha preso solidità e consistenza. Occorre tuttavia precisare che non si tratta dei meccanismi narrativi propri del romanzo (quelli richiamati da Ricoeur quando parla di "configurazione" e "rifigurazione"). Non si tratta in altri termini di principi compositivi che agiscono come "linguaggio", criterio di ordine e stilizzazione, ma piuttosto assemblano un materiale frammentario secondo leggi di variazione, combinazione, interpolazione e decontestualizzazione. Non sintassi, ma paratassi, accumulo, stratificazione, geometria non euclidea, pluralità di mondi possibili, dilatazione della nozione di realtà empirica indifferente alla dialettica vero-falso, reale-irreale. Ritroviamo questi meccanismi narrativi nelle forme di cultura popolare, epico-fiabesca e nei prodotti seriali del cinema e della televisione.
A differenza del romanzo, queste forme narrative non richiedono immedesimazione, né mettono in questione la ricerca del sé, al, contrario lo spingono all'esterno, non lo vogliono attento ma distratto, impegnato a fare altro (come il passante che andando all'ufficio passa tutti i giorni davanti ad un edificio o a una chiesa), costantemente richiamato all'aspetto "costruito" dell'insieme, alla dipendenza di eventi e personaggi dal loro essere un racconto. L'"evento" narrato è qui materiale da costruzione (allo stesso modo in cui non si sa se certi tipi umani: il seduttore, il poliziotto etc. siano nati alla televisione o nel romanzo giallo prima di diventare abitanti del mondo che ci circonda o viceversa).
Il tempo può così essere accelerato o rallentato, invertito nel suo corso, lo spazio allontanato e ravvicinato in un gioco di scatole cinesi, in una disarticolazione di ciò che dà fissità e compattezza al reale, l'esperienza perde ogni ovvietà e spontaneità. In definitiva si può narrare la "storia" dell'uscita e dell'entrata dalla realtà abituale, non per questo votandosi al gusto o alla dannazione della perdita del senso di realtà, bensì trasformando l'esperienza abituale, da disordine e imprecisione dei contenuti di vita, luogo opaco di fughe di memoria e nel desiderio, in superficie di attrito, situazione differenziata e dinamica (viaggio, narrazione, sogno) la cui forma è una forma porta, cornice, trabocchetto, passaggio, tensione di interno e esterno, vicino e lontano, passato e futuro.

Un esempio: l'evento come materiale da costruzione
In un racconto di Johann Peter Hebel, *Singolare storia di fantasmi,* la storia, ciò che accade si svolge su uno scenario fittizio interno al racconto. Un signore straniero non crede all'oste che gli sconsiglia di passare la notte in un castello visitato dai fantasmi. In attesa degli spiriti, "per passare il tempo", prende in mano il *Tesoretto* (la raccolta hebeliana in cui è contenuto il racconto) che, "rilegato in carta d'oro, era appeso con un nastrino di seta rossa alla cornice dello specchio" e ne guarda "le belle illustrazioni". Avviene allora che la materia del racconto si stacchi, per così dire, dal tempo. La storia di fantasmi, che lo straniero vive veramente, sia pure a lieto fine - gli spiriti si rilevano falsari gentiluomini che, dopo averlo spaventato a morte, lo congedano offren-

dogli del vino di Borgogna in cambio del suo silenzio - si trova infatti nell'almanacco, come se ciò che è stato scritto molto tempo prima venisse alla luce solo in quel momento. Ma è vero che il rispecchiamento del calendario nella storia provoca una modificazione di quest'ultima (che essa sia stata effettivamente vissuta, come sembrerebbe dall'esordio del racconto, oppure venga, come in uno specchio, duplicata all'interno dello stesso almanacco). Il racconto restituisce la storia rimpicciolita, appunto come in gioco di specchi, come risulta dal tempo soggettivo in cui lo straniero sfoglia l'almanacco e che è il "passare del tempo", il pulsare ritmico degli istanti. Hebel sottolinea infatti in due punti chiave del racconto la presenza del tempo obiettivo, nettamente separato dal precedente. Si tratta del tempo dell'orologio, scandito dal campanile, che batte la mezzanotte poco prima dell'apparizione dei fantasmi, e simboleggiato dall'orologio dimenticato, insieme alla pipa e alle pistole, dallo straniero al castello. I falsari gli invieranno in dono un orologio nuovo, come ringraziamento per aver tenuto fede al suo giuramento. La storia si conclude in un cerchio perfetto: "Nella letterina (che accompagna la cassetta contenente i doni dei falsari) era scritto: 'Tutto questo ve lo inviamo per lo spavento che avete a causa nostra subito e vinto, e in ringraziamento per la vostra discrezione. Ora tutto è finito e potete raccontarlo a chi volete'. Pertanto il gentiluomo lo raccontò all'abitante di Grenzach; e fu proprio il medesimo orologio quello che egli estrasse là sul monte, mentre a Hertingen suonava mezzodì, per controllare se quest'ultimo funzionava a modo; orologio per il quale gli vennero offerte alla 'Cicogna' di Basilea 75 nuove doppie d'oro da parte di un ufficiale francese. Ma lui non lo vendette".
La separazione tra tempo del racconto e tempo reale in questo gioco di scatole cinesi altera completamente il confine tra reale e irreale. "Il gioco è così completo che non si sa neppure se esso accada dietro o davanti al sipario del libriccino da tanto tempo appeso allo specchio". In fondo, la storia di cui è protagonista lo straniero fa parte del *Tesoretto*, ma forse alla cornice dello specchio era appeso solo un fascicolo dell'almanacco che la conteneva. Ne deriva un effetto di spaesamento, un interrogativo, la storia in realtà non finisce, soprattutto non diventa la storia vissuta dallo straniero.

Lo sguardo, lo spazio, l'immagine

Paolo Gambazzi

Vorrei affrontare e interrogare il tema "Identità e Differenza" a partire dai paradossi fenomenologici del visibile e dello sguardo (con qualche riferimento esemplare – ma non esemplificativo – alla pittura e alle arti visive).
Prendo come guida, per essere breve, quattro proposizioni, ognuna delle quali "porta" un nome proprio (Merleau-Ponty, Lacan, Deleuze, Heidegger):

1. "L'identità (è) differenza della differenza";
2. "Le cose mi guardano eppure io le vedo";
3. "Solo le differenze si assomigliano";
4. "Dietro lo spazio non vi è più nulla".

Hanno come carattere comune il *paradosso.* La fenomenologia si alimenta e vive infatti di ciò che il buon senso e lo scientismo ricusano come malattia e sviamento del pensiero.

L'identità (è) differenza della differenza (Merleau-Ponty).
Il visibile non è un di-fronte dell'occhio né una rappresentazione del soggetto. L'occhio, dunque, non è il punto da cui si dispiega l'ordine del visibile così come il quadro non è una finestra sul mondo che scompaia per mostrarmelo. L'occhio è piuttosto il luogo in cui, come dice Max Ernst, il *mondo si vede in me:* non il punto focale di una geometria e di una *metrica* (della distanza, della grandezza, della profondità e delle forme che si dispiegano a partire da un soggetto), ma, invece, l'invaginazione di una piega topologica di cui *mondo percettivo, immagine onirica, riflesso speculare* e *visibile pittorico* non sono che dis-piegamenti e intensità particolari (locali e specifici solo a partire da una visibilità assoluta che tutti li precede).
Il soggetto occupa un *punto di vista;* è questo che lo fa soggetto. Ma i punti di vista sono *dell'essere* stesso. L'essere è "un essere di trascendenza non ridotto alle 'prospettive della coscienza'", un essere che è "prospettivismo" intrinsecamente e non a partire dal soggetto. Le "vedute" non hanno più alcun "dietro", dietro di esse non ci sono che altre "vedute". L'essere non è niente altro che simultaneità degli esseri che differiscono e che, *proprio per questo,* sono "assolutamente insieme".
Se il visibile non è un oggetto e non è un di fronte (un *Gegen-stand),* il *soggetto* non è né sostanza né identità; non è, nel suo vedere, la sintesi coscienziale costitutiva del visibile. La sua visione è "tutta fuori di sé", ed è questo "fuori" che articola una "profondità" che mi avvolge, mi attraversa e che mi ritorna, nel più intimo, come la *mia* coscienza, la *mia* interiorità, il *mio* inconscio. Il visibile è qui il "visibile totale", cioè differenza e differire, e non identità rappresentativa di oggetti; un visibile che è *"sempre dietro, o dopo o tra* gli aspetti che vediamo". Mondo ed esperienza sono due "vortici" concentrici, ma "debolmente *decentrati* l'uno rispetto all'altro". E' in questo scarto che "possediamo" il visibile; dunque lo possediamo perché ne siamo già da sempre posseduti.
E' questo ritardo e questo sfasamento, questo tra e questa sospensione di ogni *positivum* della psicologia e della realtà, che è il luogo del pensiero e il luogo dell'arte. Il soggetto, scrive Merleau-Ponty, *vede a partire dalla propria cecità di principio.*
Voir, c'est ne pas voir. Vedere non è vedere: vedere è non-vedere.
La soggettivazione del soggetto si compie come "presenza a Sé che *è assenza da sé",*

come "contatto con sé *mediante* lo scarto rispetto a Sé", dunque, in uno *scarto* che ne determina l'aggancio all'essere, cioè al destino e alla verità. Questo spazio di scarto e di ritardo dell'identità è la "piega che differenzia e si differenzia... il differenziante della differenza" (Deleuze). *La piega per essenza è non-identità,* ma duplicità e differenza: mostra un lato e ne nasconde un altro: svela e, insieme, vela; *separa e unisce.* Che si tratti dell'anima e del corpo, o del soggetto e dell'Altro, del conscio e dell'inconscio, del visibile e dell'invisibile, o del pensiero e dell'essere, la piega è ciò che fa della "superficie di separazione" un "luogo" di unione. Questa superficie è il *topos* della struttura topo-logica dell'essere. *Il luogo dell'aver luogo:* il luogo del manifestarsi dell'essere e del vedere del soggetto. Il che significa: *ogni essere, e ogni visibilità, differisce, si differenzia, si differisce, si sopravanza.*

La Visibilità in sé, dunque, "non appartiene né alla visione come fatto né al mondo come fatto. La "visibilità in sé" si forma nello stesso modo in cui su due specchi prospicienti nascono *due serie* indefinite di immagini *racchiuse l'una nell'altra,* che non appartengono veramente a nessuna delle due superfici, giacché ciascuna non è che la replica dell'altra, che fanno quindi coppia, *una coppia più reale di ciascuna di esse.*

L'arche-tipo e l'originario dell'identità è già da sempre nella differenza e solo la differenza identifica; ma identifica *nell'evento e nella singolarità,* e non nella sostanzialità, nell'essenza e nell'identità positiva.

Questa radicale reinterrogazione del visibile intacca il privilegio del *percettivo* ed esige che lo *speculare* e *l'onirico* (così come il *visuale* della pittura) appartengano, per essenza e trascedentalmente, al visibile stesso 'prima' di ogni gerarchia, e al di qua di ogni loro concezione in termini di copia o di mimesi.

Nello *specchio,* ad esempio, il soggetto *vede se stesso,* nello specchio il soggetto si vede in questo "si", in questa riflessività e reversibilità, in questa ri-flessione e speculazione, si manifesta il *"narcisismo fondamentale"* in cui ogni visione è sempre già inscritta. Ciò fa sì che ci sia tanto uno sguardo *"pre-umano"* dell'immagine quanto uno sguardo delle cose, sguardi che mi pongono *in un "ritmo" di totale visibilità che è la "respirazione" dell'essere.*

Questo ritmo non si ritrova certo nella pittura di chi mette occhi nelle cose e nel mondo, di chi cioè ne dà una traduzione e una mimesi simboliche e formali, quanto piuttosto, in quel ritmo di *implicatio/explicatio/complicatio* tra superficie e visibile, tra percipiente e percepito, tra interno ed esterno, che anima, ad esempio, un monocromo blu di Yves Klein.

"Le cose mi guardano eppure io le vedo" (Lacan)

Nel portare la oggettivazione del soggetto e l'identificazione dell'identità al livello della specularità e dell'immaginario, Lacan mostra che l'esperienza dello specchio non è né un fatto, né un vissuto psicologico, ma *prova metafisica dell'essere.* Lo specchio congiunge, separando, non solo vissuto e visibile, ma anche essere e apparire, io e altro, differenza e identità. Narciso si trova sulla (e nella) *soglia del visibile.* (Per questo è un luogo pericoloso).

Il soggetto non è là dove si vede, ma qui dove si sente; ma, pur essendo dove si sente,

egli è visibile *qui* dove si sente *come* l'immagine che egli è *'là'* nello specchio (e con quell'*aspetto),* immagine che *là* è immagine visibile del suo essere *'qui'* dove si sente. L'immediatezza del vissuto è infinitamente *mediata e differita* dalla visibilità. La visibilità è scissione e scarto del soggetto da se stesso.
L'identità e l'Io, dunque, sono tra il vissuto del soggetto e l'esteriorità della specularità: *né* mera soggettività vissuta, *né* mera immagine visiva. La soggettivazione si compie nello *spettacolo della visibilità,* più che nella *percezione del visto.* Narciso cancella ogni anima fatta di cera e ogni esperienza fatta di impronte.
Il piccolo uomo si precipita in un'identità visibile che è forma e *Gestalt* costituenti più che costituite: verso quell'identità che è *"ortopedica* nella sua totalità". L'uomo è ben più che il suo corpo e il suo vissuto, ma non per questo è identità e sapere del proprio essere.
In questa scissione i soggetti sono pre-destinati a non vedere: a *"non vedere che cosa? Appunto, che le cose li guardano".* Dietro il fenomeno non c'è la kantiana cosa in sé, ma lo sguardo, lo sguardo infinitamente desiderato dal soggetto, ma infinitamente assente dalla sua rappresentazione e già da sempre preesistente: *"io non vedo che da un punto, ma nella mia esistenza sono guardato da ovunque".* La visibilità è *"una sostanza innominata, da cui io stesso, il vedente, mi estraggo".*
L'illusione essenziale della coscienza è perciò la sua illusione di vedersi, il suo desiderio di separarsi da questa sostanza, per illudersi della propria identità.
Io non sono soltanto, né originariamente, l'essere puntiforme che si reperisce nel punto geometrale da cui è presa la prospettiva. Senza dubbio in fondo al mio occhio si disegna il mondo. Il mondo, certo, è *nel* mio occhio. Ma io sono *nel* mondo. Se l'oggettivismo pone il mondo prima dello sguardo soggettivo, perché l'occhio lo veda in una rappresentazione ottica, Merleau-Ponty e Lacan rovesciano questo positivismo (scientista o psicologistico che sia) senza nulla però concedere a un primato della coscienza costituente. Oggettivismo e idealismo sono due facce della stessa medaglia. Il *primum* non è un mondo da vedere, ma la piega invisibile che unisce soggetto e mondo: "*c'è già* nel mondo qualcosa che guarda prima che ci sia una vista per vederlo". Il registro scopico è istituito solo dalla e nella sua reversibilità dalla "sovrapposizione" tra la direzione del soggetto prospettico geometrale e quella del soggetto come "macchia" nello spettacolo dello sguardo del mondo.
In Merleau-Ponty è l'invisibile che articola e ritma il visibile; in Lacan è ciò che *sfugge* alla rappresentazione che "comanda" il campo scopico, essendo la rappresentazione "quella forma di visione che si soddisfa da sé immaginandosi come coscienza".
Lo sguardo si rovescia, e mi estroflette dalla coscienza costituente (guardandomi da "dietro" ciò che vedo e investendomi come sguardo delle cose e del mondo). Dobbiamo però chiederci se questa esperienza estrema del visibile non si porti a una dimensione ancor più estrema. Questa dimensione non è forse visibile del *sogno?* Non è ciò che *vedo a occhi chiusi?*
A nulla conduce spiegare questo luogo come il luogo "privato" e "onirico" di un soggetto che ha perduto la percezione retinica e il rapporto sensoriale percettivo con il mondo. In questa direzione non si può raggiungere altra comprensione della *soglia (tra*

veglia e sogno) che non si riduca a un *dualismo* e a un alternarsi del soggetto tra una realtà oggettiva e una dimensione privata fantastico-allucinatoria. Un dualismo non può mai dire nulle di una soglia. Tantomeno di quella soglia tra sonno e veglia, un sogno e risveglio, che costituisce il luogo privilegiato del pensiero della filosofia di Benjamin come della scrittura di Proust.
L'altra scena del sogno è la *visibilità assoluta liberata dalla rappresentazione* e dalla contrapposizione soggetto-oggetto. L'onirismo è il linguaggio primordiale dell'esistenza, la sua *estetica* ultima: verità visibile del soggetto, prima del suo "vedere" il "di fronte" degli oggetti e prima di "incontrare" persone. Nel sogno, se dorme la coscienza rappresentativa, è perché "si sveglia" il visibile allo stato puro. E' questa "la vera Stiftung dell'Essere", dice Merleau-Ponty.
Il sogno, dunque, è "il rovescio della rappresentazione". Sogno e rappresentazione non sono lo stesso visibile, ma sono però la stessa piega topologica della visibilità. Il sogno non è percettivo deformato o perturbato dall'inconscio, come molta psicoanalisi crede, ma un luogo che è un *"omaggio alla realtà mancata"*, attraverso la mancanza di rappresentazione.
Ora, nella non-rappresentazione del sogno, "Chi" sogna? Chi è il soggetto del sogno? Risposta di Lacan: "colui che non vede", nemmeno ad occhi chiusi. Il soggetto del sogno mai può raggiungere un *cogito* del vedere. Il "soggetto" del sogno è il visibile stesso, o meglio: la piega della visibilità nel suo primato nei confronti dell'Io. Nel sogno sono le immagini, nella loro realtà di macchia e di sguardo che - secondo un "esibizionismo" di cui il soggetto è solo l'effetto e in cui l'occhio è incapace di distaccarsi dall'immagine - provocano e danno da vedere. Ma è così che il soggetto si afferma "a una qualche radice della sua identità". Nel sogno siamo catturati "da nulla" perché ciò che siamo, nel sogno. Io siamo "per nessuno". Sul bordo del nulla e dell'impersonalità: ecco il luogo della radice dell'*identità* assolutamente *differita* del sogno soggetto.
Ma torniamo per un ultima considerazione allo specchio come verità della visione, verità confermata e articolata dall'altra scena del sogno. *Lo specchio è rivelazione della visibilità: dentro* lo spazio del visibile, esso *ne* mostra il carattere di piega e di soglia senza alcun "dietro".
Se entro al Kärntner bar di Vienna (1908), *mi* trovo in un luogo che Loos ha "voluto" non geometrico, ma topologico; non frontale ma reversibile; non identitario, ma differente, di moltiplicazione e disseminazione nella visibilità. Là sono attraversato da un'esperienza e "vivo" - certo nella percezione distratta ma *ricca* della distrazione che voleva Benjamin - una col-locazione (nel e attraverso il luogo) in cui nulla occupa uno spazio, perché lo spazio non è che l'effetto delle sue singolarità locali di materie, tracciati, di peculiarità e opacità; singolarità che captano, investono, attraversano e rovesciano lo sguardo, estroflettendo e, nello stesso tempo, interiorizzando il luogo e i suoi eletti nella dimensione del tra e della soglia del visibile. E ponendolo così in una visibilità che è di sospensione della spazialità positiva e reale, in una visibilità di "eccezione", "in cui certamente la vita conclude", come scrive Cacciari, "e che pure ne trascende i significati e trascendendone i significati, permette la 'riapertura' del gioco".
Un luogo che è, nello stesso tempo, "interno" e soglia ultima della visibilità: luogo di

rovesciamento che risuona nelle parole dell'uomo senza qualità (che è anche senza proprietà): "l'occhio che osserva soltanto i piccoli disegni che gli uomini e le cose proiettano sull'immagine sfondo, si era rovesciato di colpo, e l'immagine fondo giocava con le immagini della vita come un oceano con i fiammiferi". Vivere le proprie "vicende" e le proprie psicologie, ma come piegate "verso l'alto o verso l'esterno".
Certo, in questo luogo di reversibilità, la *bêtise* trascendentale non si scoraggia e il soggetto identitario prosegue il proprio infinito e onnipotente auto-riconoscimento... *Tuttavia* lo spazio e la visibilità del luogo, il loro senso e il loro *evento* "diranno" la "controeffettuazione" di questa realtà positiva e di questa effettività psicologica e identitaria, le conferivano, a partire dalla visibilità, *"la chance comique d'avoir regné pour rien"* (parole di Joe Bosquet che stanno al centro del più intenso libro di etica di questi decenni. Intendo: *La logique du sens* di Gilles Deleuze).

"Solo le differenze si assomigliano" (Deleuze)
Una rigorosa teoria della differenza costituisce il cuore della filosofia di Deleuze. Alle cose e alle forme si sostituiscono le distribuzioni e le singolarità, alla rappresentazione, l'evento, ai significati, il senso, alla concentrazione della filosofia come metafisica categoriale, un pensiero come creazione che si realizza in una redistribuzione dei concetti e degli esseri. Entro tale pensiero, la differenza si produce non a partire dall'identità ma dalla *ripetizione* ed assume, nelle opere degli anni '70, la figura della *piega*. Le linee rette si assomigliano, dice Deleuze, le pieghe variano e non fanno altro che variare e differire.
Ci sono pieghe di ogni tipo: della terra (come mostra la pittura di Cézanne), degli organismi e dell'anima (come esibisce la pittura di Bacon o come esige la psicoanalisi nel suo concetto di inconscio). Anche pieghe dei fiumi, dei legni, del cervello e del pensiero. C'è piega tra le essenze e gli esistenti, tra il visibile e l'invisibile, tra l'immaginario e il reale, tra l'inorganico e l'organico...
Tali pieghe sono una relazione primitiva non localizzabile, un *vinculum substantiale* di termini distinti, ma inseparabili e inseparabili perché *differiscono*.
A partire dalla differenza e dalla piega Deleuze decostruisce i momenti fondamentali della metafisica: mondo, soggetto, opera, esperienza.
Il mondo: non più come particolarizzazione delle essenze e delle universalità; non più come insieme di fatti e di stati di cose, ma come mondo degli eventi e delle singolarità, delle distribuzioni di intensità e delle serie divergenti.
Il soggetto: non come Io e identità ma come soggettivazione del pre-individuale e del pre-personale, come *quarta persona singolare*, luogo finalmente anonimo e senza persona dell'accadere del mondo e del soggetto stesso, liberato dalla propria configurazione identitaria.
L'opera: non come rappresentazione o espressione, non come somiglianza e mimesi, ma come "macchina" di produzione di una *somiglianza senza somiglianza*, perché senza originali e senza copie: dunque, della somiglianza retta dalla differenza, e non il contrario. L'opera solo a volte, e sempre solo come proprio prodotto secondario, presenta somiglianze. Alla metafisica che dice: *seules les ressemblances diffèrent*, l'opera contrappone che *il*

n'y que les différences qui se ressemblent. In un caso, è prioritaria la somiglianza tra le cose e le forme; nell'altro, la *chose diffère,* non fa altro che differire, *et diffère d'abord de soi même,* verso la propria immagine figurale.
Dunque il *fait pictural,* ma anche il "fatto" artistico generale, non è un "fatto" di somiglianza e di "gusto", ma un mostrarsi della differenza e della singolarità, un mostrarsi della piega differenziante nello splendore sovrano del proprio evento, una nudità - non importa se ascetica o proliferante, minimalista o "barocca", una spoliazione dal significato o dalla forma verso il senso e la Figura.
Infine, *l'esperienza:* non come campo dei dati di fatto e delle realtà positive, delle cronologie e dei ri-conoscimenti, ma come attualizzazione delle virtualità e delle intensità, come effettuazione degli eventi. L'evento (la ferita o l'incrinatura che attraversa una vita, per esempio) è ciò che esiste *prima* di ogni sua effettuazione nell'esperienza "reale" del soggetto e che il soggetto incarna ed effettua. Quest'ultimo può perdersi nel "reale" psicologico o sociale della propria vita e del proprio "tempo", nel risentimento, nella rassegnazione, nel "lamento", nel compiacimento o nel sentimentalismo che confermano il carattere identitario e personale dell'Io *e* del sociale che l'Io secerne da sé solo perché non è costituito da nient'altro.
Il soggetto si precipita verso gli umori e i costumi di Cacania, verso "la cupidigia personale di fronte alle vicende della vita" ("... ci interessiamo troppo poco di ciò che accade, ma troppo della persona alla quale, del luogo dove, e del tempo in cui accade"). Oppure può "volere" le vicende come se fossero "dipinte o cantate", può volere e far proprio l'evento e la singolarità che lo attraversano e liberarne il senso e lo splendore, per quanto atroce e terribile, in quella che Deleuze chiama una "contro-effettuazione", il cui luogo è un altrove di ogni psicoanalismo e di ogni ideologia: "Una sorta di salto sul posto di tutto il corpo che baratta la sua volontà organica contro una volontà spirituale che *vuole* ora non esattamente ciò che accade, ma qualche cosa *in* ciò che accade... In questo senso *l'Amor fati* fa tutt'uno con la lotta degli uomini liberi. Che vi sia in ogni evento la mia infelicità , ma anche uno splendore e un bagliore che asciuga l'infelicità e fa sì che l'evento, voluto, si effettui sulla sua punta più stretta... diventare degni di ciò che ci accade, volerne dunque e liberarne l'evento, diventare il figlio dei propri eventi, e quindi rinascere, rifarsi una nascita, rompere con la propria nascita di carne. Figlio dei propri eventi e non delle proprie opere, poiché l'opera stessa è prodotta soltanto dal figlio dell'evento."

"Dietro lo spazio non vi è più nulla" (Heidegger).
In questo rovesciamento e "contro-effettuazione" dello sguardo, nella reversibilità topologica e ontologica che costituisce la visibilità in sé, *cos'è lo spazio?* Che cos'è il luogo, che cos'è il vuoto?
E' un fenomeno e, insieme, un in sé originario. E' un in sé originario *proprio in quanto* fenomeno e differenza: non è un fenomeno-apparenza, ma l'apparire del fenomeno. Lo spazio è *Ur-phänomen,* fenomeno originario, ultimo, ultimativo, il quale reca in sé lo sguardo che lo chiude a ogni in sé essenzialistico e che lo consegna al differenziarsi del suo "farsi-spazio" (nel duplice senso dell'espressione).

Dietro lo spazio sottratto alla rappresentazione, scrive Heidegger nel suo ultimo scritto (1968) dedicato alle sculture e ai disegni di Eduardo Chillida, non vi è più nulla, null'altro cui lo spazio possa essere ricondotto. Di fronte ad esso non si dà alcuna possibile distrazione verso altro: "ciò-che-è-proprio dello spazio deve mostrarsi da se stesso, a partire da se stesso", scrive Heidegger.
Il *nebeneunander* kantiano dello spazio non vige più come spazio a priori *prima* degli oggetti, dei corpi e degli avvenimenti, contenitore assoluto e apparenza di un "dietro". Esso è invece il dispiegarsi della spazialità a partire dalle "cose" e dai "luoghi" che sono quel che sono nel loro differenziarsi nel loro fare, disfare e comporre pieghe, differenze e singolarità "locali" in perpetua differenziazione. spazio ontologicamente leibnieziano e non newtoniano, dove le cose non occupano lo spazio, ma dove sono le cose stesse ad essere i luoghi.
In questo spazio il *vuoto* non è più una lacuna e una mancanza (di ciò che riempie lo spazio): il vuoto non è qui un niente, ma un *Her-vor-bringen,* un portare qui davanti alla presenza: un presentarsi non di oggetti e fatti, ma di luoghi ed eventi di cui le cose e i fatti, ma anche le essenze e le universalità, sono solo "fissazioni secondarie", secondo la grande lezione che Mallarmé enuncia a partire dai bianchi e dai vuoti della distribuzione delle parole de *Un coup de dés:*

RIEN

N'AURA LIEU

QUE LE LIEU

EXCEPTE'

PEUT-ÈTRE

UNE CONSTELLATION.

Il vuoto distrugge la rappresentazione oggettiva della realtà perché il vuoto è *ir-rappresentabile.* Rappresentandolo, tutte le cose che ci vengono incontro sarebbero già oggetti. Il luogo, che è l'irrapresentabile della rappresentazione, " fa posto", ma anche dà luogo all'aver luogo: della cosa (e non dell'oggetto), dell'evento e della "costellazione" (e non dei dati di fatto). Nell'in-corpo-rarsi dello spazio, il vuoto (di cui l'invisibile della visibilità è un "modo") è un "instaurare luoghi" *suchend-entwerfend* che "arrischia e progetta" (l'abitare degli uomini e il dimorare delle cose).
Proprio per questa ultimatività dello spazio, come visibiltà assoluta, nel visibile si deci-

de il "politico", cioè l'intersoggettività, la "captazione" del soggetto agli altri, al mondo, alla "città". Il mio "paesaggio" presuppone quello dell'altro. Io sono macchia del quadro e luogo visibile nel paesaggio; vedo perché visto da ovunque; sono rappresentazione nella rappresentazione di altri, e le nostre rappresentazioni non sono che pieghe di pieghe, infinitamente complicate nella visibilità in sé.

In questa "fisica *qualitativa* che fa pensare ai filosofi pre-socratici" (secondo un'espressione di Octavio Paz), si dà una possibile fine della "proprietà privata" della visione? Un'uscita e una "linea di fuga" senza ideologie dal *petit monde privèe de chacun* (Merleau-Ponty) che è sempre solo giustapposto a quello degli altri? Un senso più profondo dell'essere delle cose l'una accanto alle altre e dei soggetti captati e coimplicati, sia allo spazio e al mondo che allo sguardo, al desiderio e agli altri? Dove la mia visione sia a partire da quella dell'altro e i nostri paesaggi null'altro che il vedersi in noi della visibilità? Non sono io che vedo, non è lui che vede: *une visibilitè anonyme nous abite tous deux*. Conclude Merleau-Ponty: essendo qui e ora *rayonner partout et à jamais:* essendo individuo, essere anche dimensione ed evento.

Un'altra difficile domanda con cui concludere per lasciare del tutto aperto il discorso: dove e *come* la produzione, la costruzione, il "montaggio", la macchinazione del visibile si sottrae, per rigore di disciplina e per volontà di visibilità, alla proprietà privata del soggetto e del suo vedere, alla proprietà privata del sentimento, della cultura e del gusto? Dove *l'immagine* sfugge alla morale e ai "valori" estetici e di gusto, perché è *essa stessa,* immediatamente, *nient'altro che etica?*

Nel centro di una scrittura filmica testamentaria (che cioè testimonia senza "predicare" alcunché), in *Autobiographie à dècembre,* compare sullo schermo un albero in un campo che, intrecciandosi a voce, suoni, musica, instaura l'immagine. La voce di Godard legge un brano di Merleau-Ponty, e più nelle pause e nella ripetizione del pensiero che secondo il flusso dei significati: "... il ya un rapport à lui-même du visible qui me traverse et me constitue en voyant: ce cercle que je ne fais pas, qui me fait, cet enroulement du visible sur le visible, peut traverser, arrimer d'autres corps aussi bien que le mien, et si j'ai pu comprendre comment en moi nait cette vague, comment le visible qui est là-bas est simultanement mon paysage, à plus forte raison puis-je comprendre qu'ailleurs aussi il se referme sur lui même (invece di essere il di fronte, il *Gegen-stand* del mio vedere), et qu'il y ait d'autres paysages que le mien. S'il s'est laissé capter par un de ses fragments le principe de la captation est acquis, le champ ouvert pour d'autres Narcisses, pour une intercorporeité.".

Quell'albero "di Godard" *mostra la visibilità stessa:* cioè un'etica, il bordo topologico in cui il soggetto entra in sofferenza di identità solo per incontrare, nel suo stare fuori di sé, la differenza dell'altro e del mondo, cioè, finalmente, la propria differenza da sé e dalla propria identità. *Je est un autre:* ecco la sola etica inscritta nel visibile: *se* lo si vede (invece di guardare ciò che vogliamo vedere per restare nella identità media e mediocre di noi stessi, della nostra visione, dei nostri sentimenti). Il soggetto vuole (guardare) un'immagine giusta per ritrovare se stesso in modo identitario. L'arte gli dà invece, secondo la grande lezione di Godard, non un'immagine giusta, ma *juste un'image*. "Solo" un'immagine, un'immagine "solo" *da vedere* al di là di ciò che vogliamo *guardare*.

Esposizione Internazionale, Mostra introduttiva *Gli immaginari della differenza*, Juan Navarro Baldeweg, *Arazzo, aria, rete* (foto Miano)

Navarro Baldeweg
Amsterdam

Grottesche ibridazioni

Rossella Prezzo

Di identità e differenze parlano i tre microracconti che seguono, ma lo fanno tutti nel registro dell'ibridazione grottesca. Sono brevi narrazioni di eventi quotidiani che si pongono in qualche modo "fuori quadro" rispetto alla compiutezza ed autorevolezza di una teorizzazione, o meglio ne rappresentano il risvolto *lunatico*. Spostano cioè l'interesse della solennità del monumento-opera, per sempre dato al mondo, verso la precarietà dell'atto della sua produzione. Si tratta di eventi banali (come una passeggiata in una città straniera, una giornata qualsiasi in una metropoli contemporanea, una lettura di piacere fatta a lato del proprio campo di studio), esperienze comuni. Racconti di scarti, che tuttavia sono all'origine di forme di pensiero; anzi, è proprio il riso (più o meno amaro, divertito, o soffocato) che in essi risuona, ad aprire, attraverso il suo repentino vuoto, uno spazio al pensiero e una strada alla riflessione: un pensiero che resta inevitabilmente incrinato dal riso in una riflessione inevitabilmente doppia.

All'inizio del secolo un austero professore viennese percorreva le strade "sconosciute e deserte" di una cittadina italiana, sotto il sole cocente di un pomeriggio estivo. Capitò in un quartiere di case sul cui carattere non ci potevano essere dubbi: era un quartiere equivoco. "Alla finestra delle casette non si vedevano che donne imbellettate". Cercò allora di svicolare, ma dopo un tortuoso cammino si ritrovò allo stesso posto. E i suoi tre successivi tentativi di allontanarsi, in qualsiasi altro luogo via da lì, di sottrarsi a quegli sguardi femminili, lo riportavano (immaginiamo sempre più sudato e imbarazzato) allo stesso posto. "A quel punto - dice il narratore - mi colse un sentimento che non posso definire che *Unheimlich*".
Questo aneddoto autobiografico sta al centro di una delle opere teoriche più interessanti di Freud, il saggio su *Il perturbante,* ossia un sentimento di spaesamento, di mescolanza fra estraneità e familiarità. Possiamo definire questa storiella raccontata da Freud di una "comicità drammatica" (rubando la formula che Pirandello applica all'umorismo): un perdersi alla rovescia, una situazione grottesca in cui ci si "perde" ritornando sui propri passi, o se vogliamo, in cui il soggetto si trova preso in gioco da se stesso, si ritrova ma inesorabilmente in un luogo equivoco, facendo ritorno a quell'estraneità che gli appartiene. La ripetizione di un evento anziché trasformarsi in abitudine rassicurante diventa qui un'eccentricità inquietante.
Il versante comico di tutto ciò, o meglio l'inestricabile intreccio di comicità e drammaticita, va però perduto nell'interpretazione dell'*Unheimlich,* dell'inquietante familiarità, che Freud analizza in questo testo, il quale privilegia unicamente il lato oscuro, minaccioso, pauroso di tale sentimento. Ed è ai racconti di E.T.A. Hoffmann che egli infatti rivolge la sua analisi; anche se non può evitare di gettare, en passant, in una nota a margine, un rimando a Mark Twain che in *A Tramp Abroad,* dice, "ha trasformato questa situazione in un evento di irresistibile comicità". Qui però Freud (che dedicherà per altro al riso, al comico e all'umorismo dei luoghi a parte), qui, strada facendo, sembra volersene dimenticare, come se non volesse più ascoltare quel riso, magari un po' "isterico", che presumibilmente prese ad echeggiare dietro le finestre di quel quartiere malfamato, in quell'estraneità così familiarmente a portata di mano. Vuole

Esposizione Internazionale, Mostra introduttiva *Gli immaginari della differenza,* Luigi Mazza con Arnaldo Bagnasco, Guido Martinotti, Carlo Olmo, *Identità e trasgressioni urbane* (foto Miano)

approdare nel sollievo dell'orientamento dell'interpretazione. Eppure proprio questa situazione grottesca, nella sua ibridazione di familiare ed enigmatico, di comico e drammatico, nel rilevarsi di uno spazio elastico e poroso tra estraneità che ci appartiene e familiarità che ci sfugge, apre la strada a Freud e al suo pensiero.

Il registro del grottesco, che mostra insospettate parentele, risibili ibridazioni tra il vicino e il lontano il prossimo e il remoto, è congeniale anche alla metropoli di oggi. Così agli occhi di Lévi-Strauss la città di New York appare, nel 1941, come uno scenario di giustapposizioni inattese, di differenze che s'incontrano nella più contigua prossimità e di familiarità affioranti in luoghi estremi. Ecco come la rievoca in un saggio del 1983 *(New York post-et préfiguratif):*
"[Chi poteva resistere] agli spettacoli in cui ci immergevamo per ore all'opera cinese, sotto la prima arcata dei ponti di Brooklyn. (...) Mi sembrava di tornare non meno indietro nel tempo quando andavo a lavorare, ogni mattina, nella sala di americanistica della New York Public Library. Lì, sotto il colonnato neoclassico e tra le pareti rivestite di vecchia quercia, sedevo accanto a un indiano con la sua acconciatura di piume e in giacca di daino adorna di perline, che prendeva appunti con una stilografica Parker".
Certo lo sguardo di Lévi-Strauss rimane quello incantato dell'antico viaggiatore, intriso di struggente nostalgia per un mondo felice scomparso per sempre.
"New York (...) era una città dove tutto allora sembrava possibile. Il tessuto sociale e culturale, come quello urbano, era crivellato di buchi. Non dovevi far altro che sceglierne uno e scivolarvi dentro, come Alice, se volevi passare dall'altra parte dello specchio e trovare mondi così affascinanti da parere irreali. (...) New York decisamente non era la metropoli ultramoderna che mi ero aspettato, ma un disordine immenso orizzontale e verticale attribuibile a qualche spontaneo sollevamento della crosta urbana piuttosto che a intenzionali progetti di costruttori.
In questo spazio caotico, bucato, allusivo, il tempo della Storia si è trasformato in spazialità, giustapposizioni e incongrue empiricità, cortocircuiti tra passato e futuro, dove il familiare è in agguato come un pezzo di vecchia Parigi al Greenwich Village o negli scorci della vecchia Europa nei quartieri degli immigrati. L'opera cinese sotto il ponte di Brooklyn, un indiano che inalbera colle sue penne tradizionali anche una penna... stilografica, non sono il frutto dell'iperbolico immaginario di un Lautréamont, ma immagini quotidiane di una metropoli d'oggi, in cui anche le differenze non sono stabili alterità. E' quando queste si vogliono pure differenze che s'innescano discutibili se non violenti atti di purificazione, rincorse deliranti verso presunti miti fondatori e di autoctonia.
Ricordando quei tempi, Lévi-Strauss da inguaribile nostalgico cade però nella stessa melanconia che lo coglie ai tropici, tristi perché ormai quel mondo come quello newyorchese degli anni '40, pieno di possibilità ed evasioni, è finito, rappresentando solo gli ultimi bagliori e la profetica disintegrazione di ogni reale differenza culturale o l'omologazione di massa da fine della storia. Ma forse omologato sembra più essere, da questo punto di vista, lo sguardo di Lévi-Strauss che coglie retrospettivamente solo distruzione e non anche l'emergere di nuovi ordini di differenze che si sostituiscono. E

ciò richiede altri modi di dire che non siano quelli segnati unicamente dalla sindrome dell'essere moderni (o post-moderni) che impone o lo sguardo malinconico fisso sulle rovine o quello spensierato che aderisce alla dissipazione.
Comunque è in quello spazio, pieno di bizzarre e risibili eterogeneità, che fu concepito il nuovo pensiero dell'antropologia strutturale. In quella sala di lettura della Public Library, dove un antropologo francese a New York, seduto a fianco di un indiano metropolitano col suo copricapo tradizionale e la sua Parker, elaborò le strutture elementari di parentela e le sotterranee corrispondenze fra arte primitiva e arte d'avanguardia.

E' proprio il riso, o meglio l'effetto di ritorno di un riso suscitato dalle ibridazioni grottesche di "una certa enciclopedia cinese", letta in Borges, apre *Le parole e le cose* di Michel Foucault, la sua "inchiesta archeologica" delle scienze umane. Una assai bizzarra tassonomia - in cui gli animali si dividono in "a) appartenenti all'Imperatore b) imbalsamati; c) addomesticati; d) maialini da latte; e) sirene; f) favolosi; g) cani in libertà; h) inclusi nella presente classificazione; i) che si agitano follemente; l) disegnati con un pennello finissimo di pelli di cammello, etc. etc." - provoca in Foucault un riso incontenibile misto a una profonda inquietudine perché è rivolto anche a se stesso.
"Questo testo di Borges mi ha fatto ridere a lungo, non senza un certo malessere difficile da superare. Forse perché sulla scia spuntava il sospetto di un disordine peggiore che non *l'incongruo* e l'accostamento di ciò che non concorda: il disordine che fa scintillare i frammenti di un gran numero di ordini possibili nella dimensione, senza legge e geometria, nell'*eteroclito*". Infatti, questo quadro classificatorio di identificazione e di differenziazione, che come tutte le classificazioni dovrebbe per noi essere lineare, rigido e un po' mortifero, mostra invece un brulichio inaudito, lo spazio di una dispersione in cui i luoghi, le cose e le parole sono risibilmente tenuti insieme. E' proprio una risata, col suo effetto di ritorno di sconvolgimento istantaneo di "tutte le superfici ordinate e tutti i piani che placano ai nostri occhi il rigoglio degli esseri", è proprio questo moto di riso il "movente" del libro di Foucault e della sua archeologia del sapere.
Il quadro cinese, nella sua apertura di una "serie di serie", così assolutamente incoerente , sotto il "fascino esotico di un altro pensiero", ci fa fare esperienza – attraverso il riso, non certo s-pensierato – del limite del nostro pensiero, della nostra impossibilità di "pensare tutto questo".
Qui la logica dell'opera è deliberatamente quella dell'estrapolazione, fondata sulla gratuità di un gesto; come se ci si interessasse alla Cina paradossalmente proprio perché niente ci legherebbe all'inizio a quel mondo. Non si tratta allora della conquista di un sapere in più, complementare al nostro, ma la ricerca concertata di un decentramento della propria visione delle cose e delle parole, attraverso una risibile *epoché* dei nostri precedenti segni di riconoscimento e la messa alla prova della tenuta dei nostri fondamenti di evidenza: uno sporgersi fuori dal quadro, fuori inquadratura e dal gioco sempre interno delle relazioni.
Foucault non sta infatti intraprendendo un lavoro da sinologo, non è tentato da un esotismo ingenuo, né da un misticismo dello stupefacente; non si accinge ad inoltrarsi

nel paese dell'altro, piuttosto in quel varco che quello scoppio di risa gli ha aperto, rivelando uno *spazio di impossibilità*. Non si tratta dell'utopia vagheggiata di un altro luogo, secondo quello che Werner Said ha chiamato la "simmetria della redenzione". Non è il conforto dell'utopia, ciò che il nome Cina qui evoca, una nome che ha pure sempre rappresentato "per l'Occidente un grande serbatoio di utopie", le quali si schiudono in uno "spazio meraviglioso e liscio", aprendo "città di vasti viali, giardini ben piantati, paesi facili, anche se il loro accesso è chimerico": ma lo spazio non prospettico dell' "eterotopia" lo spazio di una dispersione in cui antiche familiarità sono sospese ed altre si creano, temporaneamente, nello spazio di una risata. Riso non certo liberatorio, catartico o s-pensierato, ma nella cui eco lontana qualcosa sprofondando si rivela. E' l'ordine del nostro discorso che "ha la nostra età e la nostra geografia" a vacillare e sussultare in questa risata, in quanto già da sempre caduco, già da sempre compromesso. E ritornando in noi, nel nostro pensiero, nel nostro ordine, non possiamo più non vedere quella faglia che irrimediabilmente si è aperta, che ci inquieta e ci solleva.
Questo gesto preliminare di un riso che si fa pensiero, un pensiero incrinato dal riso, apre dunque non un'altra scena, ma un intermezzo, uno spazio bianco in cui incedere in modo claudicante .
Su questo gesto che eredita da Nietzsche, Foucault ritorna in un altro testo, *L'archeologia del sapere*. Anche qui, in apertura, nella premessa, spiegando che cosa aveva voluto fare nei libri precedenti, in cui tante cose erano rimaste oscure, Foucault, per mostrare da dove egli parli, declina le proprie generalità, non senza dire preventivamente: non sono né questo né quello. E questo luogo non è quello della critica pura e semplice, non è un modo per dire che "la gente si è sbagliata a destra e a sinistra", o per ridurre con distanza ironica gli altri al silenzio, sostenendo la vanità dei loro discorsi, ma una posizione particolare quasi intenibile, uno "spazio bianco". E immaginandosi alcune obiezioni, sentendo l'eco di possibili inquisizioni, scrive: "Non è sicuro di quello che dice? Si prepara a cambiare di nuovo, a spostarsi in ragione delle domande che le fanno (...)? Si prepara a dire ancora una volta di non essere mai stato quello che le rimproverano di essere? Sta preparandosi già la scappatoia che le consentirà, nel prossimo libro, di risorgere altrove e di schernire tutti come fa adesso: no, no, non sono dove mi cercate, *ma qui da dove vi guardo ridendo"*.
Lo spazio che questo riso apre al pensiero non è quello di una fantasticata utopia, un pensiero esterno, ma piuttosto un'esteriorità che si inscrive nel proprio sguardo. Il che non significa assumere il punto di vista dell'altro, mettendosi al suo posto - operazione impossibile se non attraverso un doppio salto mortale da funambolo, un'assunzione beatificante dell'altro, un appello della buona coscienza al dialogo o un'assimilazione inglobante più o meno consapevole. No, non l'assunzione pura e semplice dell'altro sguardo, ma dell'*esteriorità* della *proprietà* permette un ritorno inevitabile su di sé. Un ritorno che iscrive continuamente "l'allucinazione" della nostra presenza come estraneità che spia il farsi del discorso. L'effetto di ritorno non è meno importante di quello di uscita, non come seconda istanza, ma come contrasto simultaneo che ci fa risalire, come nel caso di Foucault, a monte del cogito, per depositare non il genio maligno che si annidérebbe paranoicamente all'esterno, ma quello delle nostre evidenze cultu-

rali, verso il condizionamento della nostra stessa identità.
Questo riso perturbato non è il segno di una pretesa superiorità in termini di potenza, non è il trionfo, come nel carnevale, di un elemento basso e materiale sopra le false pretese dello spirito; è piuttosto il contrasto grottesco che ride dei mai superati, sublimati, legami impuri e accidenti mondani. E' lo scacco di ogni proclamata autosufficienza e di ogni purezza autoctona, dell'identità come della differenza.
Il grottesco, che è nel registro del mondo d'oggi, nel suo congiungersi di elementi riconoscibili e legami impossibili, è diventato sempre più una forma necessaria del pensiero, pensiero oscillante in uno spazio omologato ma anche sempre più interconnesso in modo paradossale; spazio elastico e poroso, in cui sia la narrazione della perdita che quella della creazione di nuovi ordini di differenze, dell'omologazione e della differenziazione, sono pertinenti e ciascuna scalza la pretesa dell'altra narrazione di raccontare "tutta la storia". Sono questi cortocircuiti che rendono possibile, ossia vivibile, lo spazio ormai paradossalmente comune. Come in uno dei romanzi di Pennac in cui emigrati marocchini festeggiano con indigeni francesi il capodanno... cinese.

Esposizione Internazionale, Mostra introduttiva *Gli immaginari della differenza*, Peter Eisenman, *Delirium* (foto Chiaramonte)

Umanità senza fissa dimora

Alessandro Dal Lago

In poco più di vent'anni le nuove tecnologie, la globalizzazione del mercato e la riorganizzazione del lavoro hanno completamente mutato le prospettive economiche e politiche del pianeta. Se il secolo XIX può essere rappresentato (almeno in Occidente) dal processo della modernizzazione, e gran parte del secolo XIX dal conflitto tra le democrazie industriali e il totalitarismo centro-europeo, la fine del millennio ci offre uno scenario fino a poco tempo fa impensabile: l'articolazione di una dialettica sempre più accelerata tra globalizzazione economica ed entropia dell'ordine politico e sociale del mondo (1).
La fine del bipolarismo, coincisa con l'affermazione delle strutture globali del capitalismo (dalla ricollocazione delle attività industriali alle reti telematiche, commerciali e finanziarie che coprono la terra) ha permesso a poche nazioni fino a ieri sottosviluppate di accedere al mercato mondiale e ne ha sospinte molte altre ai margini della sussistenza economica, aumentando, in termini di reddito reale, la distanza tra le società del Nord sempre più ricche e quelle del Sud del mondo, sempre più povere. In vent'anni l'organizzazione del lavoro, grazie alla generalizzazione della robotica e dell'informatica, ha reso superflue nel Nord del mondo professioni secolari, contribuendo a eliminare o a rendere marginali interi ceti sociali (2).Se oggi alcune categorie professionali sono già un ricordo del passato, non è lontano il momento in cui le professioni fin qui ambite (dalle segretarie d'azienda ai manager intermedi o ai redattori di giornali o case editrici) saranno rese più o meno superflui dai sistemi telematici. Come è già avvenuto negli Stati Uniti, anche nella tradizionale Europa i negozianti al dettaglio potrebbero diventare in pochi anni una curiosità di quartiere. Per effetto di questi processi, in cui il lavoro industriale o seriale ha perso importanza e rappresentanza, il conflitto sociale, nel Nord del mondo, non contrappone più (soltanto) lavoratori e capitale, ma soggetti capaci di adattarsi o soggetti che restano ai margini di uno straordinario processo di accumulazione immateriale in cui il lavoro conta sempre meno, soggetti garantiti dal loro essere dentro e soggetti socialmente superflui nel loro essere fuori (3).
L'istruzione, l'assistenza, la sanità, l'assetto urbano sono ormai campi di uno scontro tra chi produce la propria ricchezza o finanzia i propri bisogni e servizi e chi, partecipando solo marginalmente allo sviluppo dell'economia-mondo, non può che accontentarsi di briciole. La competizione ha frantumato solidarietà sociali e di classe, rappresentanze di ceto, ideologie politiche e religiose. Disuguaglianze storiche, squilibri territoriali e sfasature economiche si sono incancrenite (si pensi solo alla condizione di neri e latini nelle metropoli americane e anche, per certi versi, all'arretratezza delle sacche di povertà negli altri paesi industrializzati), mentre nessuno pensa più a una ripartizione solidale, organica, degli oneri sociali. La grande utopia keynesiana e laburista, a cui le democrazie post belliche avevano affidato la ricostruzione e lo sviluppo, ha lasciato posto a un liberismo trionfale. Chi è dentro (come ha mostrato magistralmente Mike Davis nel caso di Los Angeles) non ha nessuna intenzione di spendere per chi è fuori (nemmeno per ridurre il pericolo di conflitti), ma solo per difendersi, per costruire fortezze o barriere materiali e rafforzare la polizia (confermando in ultima analisi le ragioni di chi si ribella, come è apparso nel

Nella pagina a fianco: Esposizione Internazionale, Mostra introduttiva *Gli immaginari della differenza*, Juan Navarro Baldeweg, *Arazzo, aria, rete* (foto Miano)

1992, nell'insurrezione di South Central Los Angeles) (4). Ma una logica analoga è all'opera in ogni tipo di servizio pubblico e non solo nella gestione della sicurezza urbana. Una sorta di darwinismo sociale rivisitato contribuisce a rendere difficile la vita di quella quota di popolazione (Ralf Dahrendorf la valuta intorno al 40% nelle società occidentali post-industriali) (5) che per i più vari motivi non sta al passo della maggioranza degli inclusi.
Non si potrebbe comprendere la straordinaria fortuna dell'estrema destra in Europa e in generale in Occidente (con un tracollo generalizzato dell'ipotesi laburista o un riallineamento pressoché totale delle socialdemocrazie su posizioni un po' meno darwiniste della destra) senza il disorientamento che è seguito alla rivoluzione sociale degli ultimi 10/15 anni. Populismi di ogni tipo, da quello dichiaratamente fascista di Le Pen a quello riverniciato di Fini o televisivo di Berlusconi, da quello regionalista della Lega alle varie destre locali o nazionali sparse per il mondo, offrono qualcosa che, dopo la fine del socialismo reale, non era più disponibile negli stanchi schemi politici dell'Occidente: dei nemici da odiare in un panorama che sembra fatalmente segnato dal conflitto insolubile tra ricchi e poveri.
Oggi dovunque, nell'Occidente ricco, questo ruolo è svolto dagli stranieri poveri. Immigrati di svariate nazioni e nomadi in Italia, turchi in Germania, maghrebini in Francia, la grande maggioranza di neri poveri (stranieri interni storici) negli USA sono bersaglio di un'ostilità per cui non si può trovare altro che la definizione di razzismo, anche se questa parola, vincolata a teorie dell'inferiorità oggi scarsamente popolari, sembra inadeguata. Essa, infatti, non può che rappresentare genericamente la disinformazione, il panico irrazionale, la discriminazione dissimulata o palese, colta o populistica, che si esercitano ai danni dei nuovi migranti, cioè degli stranieri in carne ed ossa che cercano delle *chance* di vita nelle nostre società (6).
Né si deve ignorare che l'avversione per lo straniero non è appannaggio dell'Europa o dell'America, ma di qualunque nazione abbia imboccato la strada dello sviluppo accelerato. Il capitalismo autoritario malese (7), cinese o russo è del tutto compatibile con le nerbate, le esecuzioni capitali in serie e, quando può, con il controllo "morale" della popolazione o con lo sterminio (come avviene, nella totale indifferenza del mondo, in Cecenia). Caudillos "democratici", verniciati all'occidentale, come negli staterelli sopravvissuti alla guerra civile jugoslava, alimentano l'odio per gli stranieri, allo stesso modo in cui il nuovo capitalismo tiene al loro posto le povere filippine immigrate, o le monarchie oscurantiste del Medio Oriente, già alleate dell'Occidente nella Guerra del Golfo, sequestrano dal tramonto all'alba gli immigrati provenienti da tutto il mondo. La novità è, semmai, che il modello di quello che viene chiamato da molti capitalismo autoritario asiatico sembra appetibile anche da noi, come mostrano in questi anni gli slogan o i progetti di Gingrich, Le Pen, Chirac e Berlusconi.
Essere stranieri in cerca di lavoro, migranti, profughi o nomadi non è solo una colpa agli occhi dell'opinione pubblica degli inclusi, ma soprattutto una condizione di sospensione giuridica e sociale per cui non si saprebbe trovare delle definizioni adeguate. Un migrante esce da uno spazio nazionale (oltre che da una cultura, da una

famiglia, da un vicinato, da una rete di socialità) ma non entra, se non fisicamente, si direbbe quasi incidentalmente, in un nuovo spazio. Infatti nel "paese d'accoglienza" o "ospitante" (secondo le straordinarie espressioni escogitate dalle scienze sociali) egli è privo di diritti formali o sostanziali, passabile di espulsione, privato del diritto di vivere con i propri familiari, soggetto a vessazioni quotidiane da parte di funzionari di ogni tipo, tenuto soprattutto per anni nell'incertezza della durata del soggiorno, doppiamente sfruttabile da datori di lavoro che lo ricattano in quanto essere sia bisognoso sia socialmente illegittimo. In più, sarà oggetto di discriminazioni tanto più odiose in quanto a parole "inammissibili" da società che si beano del proprio anti-razzismo. Sarà inoltre un potenziale criminale agli occhi dei sedicenti sociologi, nonché un invasore temibile per i demografi che scambiano le proprie proiezioni cartacee per tendenze sociali, o per gli *opinion-maker* o giornalisti a caccia di notizie sensazionali. Essere migranti o nomadi è oggi, da noi, uno stigma tanto più odioso quanto più capace di produrre nell'immaginazione dei nativi occidentali altri pregiudizi, evocando contagi cosmici e timori inconfessabili (8).

Dati notissimi, almeno per chi li vuole consultare, mostrano che le migrazioni sono una realtà mondiale dolorosa, ma in nessun modo esplosiva come vorrebbero gli specialisti della catastrofe demografica. Secondo la World Bank, la percentuale dei residenti in Europa di origine non europea è oggi del 6%, più o meno come vent'anni fa. L'invasione che da quindici anni si preconizza in Italia non è semplicemente avvenuta, ad onta di chi, all'inizio degli anni '90, dichiarava che la "barca era piena" 'espressione odiosa impiegata dal governo svizzero per respingere gli Ebrei tedeschi nella seconda guerra mondiale (9). Oggi, gli immigrati in Italia provenienti da paesi non sviluppati sono stimati tra poco più di un milione e un milione e mezzo di persone (a seconda delle diverse valutazioni) (10). Anche se un raffronto con i dati di dieci anni fa (quando sarebbe iniziata l'"invasione") è reso difficile dall'inadeguatezza dei sistemi di rilevazione, si può supporre che, indipendentemente dalla chiusura delle frontiere europee, siano poche migliaia gli immigrati che si stabiliscono ogni anno in Italia, un paese che invecchia e in cui si muore più di quanto si nasca.
Ma soprattutto ogni discorso strettamente statistico non tiene conto del fatto che le nuove migrazioni hanno un carattere aleatorio, che i progetti sono aperti e lasciano spazio a una circolazione che prevede soggiorni intermittenti, ritorni e, fino a prova contraria, nessuna particolare volontà precostituita di insediamento, e tantomeno di contro-colonizzazione, nonostante tutte le leggende metropolitane che corrono sull'Islam, il fondamentalismo e il terzomondismo (11). In realtà, ciò che inquieta l'opinione pubblica, o meglio la sua nervatura costituita dall'informazione, è probabilmente il carattere circolante e atipico dei nuovi migranti, il loro sottrarsi agli stereotipi del mero bisogno e allo statuto servile che ne discende. Nel senegalese laureato che si assoggetta a umili mansioni, o nell'albanese che pretende di vivere e di consumare secondo il nostro stile, per non parlare della prostituta nigeriana che non vuole essere redenta (e semmai disturba quanto di profondamente

casalingo c'è nella nostra cultura locale, anche quando si proclama d'avanguardia), noi (o la cultura che domina da noi) vediamo rispecchiata la precarietà dei nostri fondamenti sociali. I migranti non minacciano alcun ordine reale, né equilibrio sociale o demografico, ma quel nuovo senso dell'ordine che si accompagna a ogni strategia individualistica di sopravvivenza in una società in cui il feticcio della competizione domina incontrastato. E' per questo che ci è così facile vedere complotti criminali internazionali nell'importazione di braccia o di corpi - il che non esclude che i migranti, con le connivenze immaginabili, siano sfruttati da racket nazionali o internazionali. Ma da noi si vogliono vedere dei criminali reali o virtuali nei migranti, come le penose mobilitazioni urbane dell'autunno 1995 (sponsorizzate anche dalla sinistra "democratica") hanno ampiamente mostrato, perché non siamo capaci di scorgere in loro non solo degli essere umani che hanno modificato da qualche anno i nostri paesaggi urbani, ma dei soggetti che avanzano, o avanzeranno la legittima pretesa di vivere tra noi come noi (12).
I mesi che hanno preceduto il decreto Dini sull'immigrazione -sgangherato, contraddittorio, forcaiolo quanto inapplicabile - resteranno, se la memoria storica non svanirà, una piccola dimostrazione di xenofobia collettiva. In pochi mesi S. Salvario a Torino è stato fatto passare come un Bronx locale, al pari del centro di Genova o di alcuni quartieri di Milano. Esponenti del Pds hanno protestato, come cittadini o leader dei "comitati di quartiere", contro il degrado provocato dagli "extracomunitari". La grande stampa indipendente ha suonato la grancassa dell'invasione e dell'emergenza. Quasi tutti gli intellettuali di grado che collaborano alle terze pagine dei quotidiani (di destra, di centro o di sinistra) hanno chiesto che si ristabilisse la legalità (questo feticcio anti-politico con cui, dopo Tangentopoli, si pretende di risolvere ogni crisi nazionale), espellendo gli stranieri criminali. La sinistra moderata ha venduto i propri principi in cambio dell'appoggio elettorale della Lega xenofoba (che poi, ovviamente, non è stato concesso). Infine l'ineffabile Dini, uomo politico che riesce ad essere contemporaneamente riformista, centrista e conservatore, ha promosso un decreto legge che soddisfa le esigenze immaginarie di legge e ordine, ma che soprattutto trasforma alcune centinaia di migliaia di esseri umani in *nonpersone*, ovvero, come direbbe A. Sayad, in esseri "espellibili" (13), privi di qualsiasi protezione legale ma soggetti agli arbitri di datori di lavoro, poliziotti e autorità locali.
Nei quattro mesi in cui il decreto è stato applicato, solo 250.000 immigrati (secondo la Caritas) hanno fatto domanda di regolarizzazione. Tutti quelli che non sono riusciti a passare le maglie di una "regolarizzazione" resa difficilissima dagli ostacoli burocratici, che non l'otterranno anche se l'hanno richiesta o che resteranno comunque clandestini, vivranno tra noi come in un limbo politico e giuridico. Se le espulsioni, prevedibilmente, non saranno numerose, non sarà solo per la proverbiale incapacità del nostro sistema amministrativo di applicare le leggi, ma perché un esercito post-industriale di riserva valutabile in diverse migliaia di soggetti, sarà disponibile non tanto per l'economia illegale, ma per quella sommersa e per il lavoro domestico, cioè per una nuova servitù. Uomini e donne invisibili, non solo perché cercheranno di dissimularsi agli occhi di una società che periodicamente

ne fa dei capri espiatori, ma perché, come in un celebre romanzo di Ralph Ellison (14), essi saranno "visti" nella nostra società in ogni forma tranne che in quella universalmente umana a cui ogni essere vivente dovrebbe avere diritto.

Benché numericamente limitato, il problema delle nuove migrazioni mostra una formidabile capacità di mandare in cortocircuito le sicurezze verbali (giuridiche, politiche e filosofiche) a cui il nostro mondo "democratico" si appiglia per mascherare la sua involuzione. Quando Agnes Heller, nell'ambito di una discussione sul diritto d'asilo in Germania (15), fa dei migranti e dei profughi degli ospiti-bambini da educare nella nostra società paternalista; quando alcune pensatrici nostrane mettono di fatto in contraddizione i diritti umani dei migranti con le esigenze delle "popolazioni locali", quando altri autori di area liberal-riformista (per quanto benintenzionati e magari sinceramente anti-razzisti), propongono di elargire diritti agli stranieri con un misurino che tenga conto di possibili reazioni xenofobe dei "cittadini" (e sto parlando non di ideologi di destra ma della sinistra moderata e perfino d'avanguardia) (16); ebbene, non siamo di fronte tanto o soltanto a un'avversione o paura dissimulata di fronte agli "stranieri" ma a un'autodistruzione (o, se si vuole, a un'auto-affermazione) della cultura democratica. Vent'anni di stucchevoli dibattiti sui principi della società "giusta" avevano lasciato l'impressione fallace che i diritti umani fondamentali (magari ancorati a una riproposizione del kantismo) non fossero negoziabili. Ma così non è. Una gerarchia tra noi (educatori paterni, legislatori di noi stessi o dispensatori di benefici) e loro (infanti, soggetti alle nostra leggi e beneficiari) viene ristabilita a spese di qualsiasi concezione dell'eguaglianza degli esseri umani.
Quanto il dibattito sul mitico multiculturalismo abbia contribuito a incrinare la cultura bicentenaria dell'universalismo si comincia solo ora ad avvertire. La fine dell'internazionalismo nel disastro del socialismo reale e la debole, ambigua sopravvivenza dell'universalismo cristiano ci hanno lasciato in eredità il fatto del tutto evidente che i diritti sono esclusivamente legati all'esistenza di ordinamenti nazionali (17).
Sono gli stati (o quegli agglomerati di stati che fanno circolare i diritti sul binario dei rapporti di mercato) che di fatto riconoscono dei diritti. Il resto è umanesimo parolaio o stipula di convenzioni internazionali a cui nessun ordinamento nazionale si sente di fatto vincolato. Quando, nel marzo 1996, è stata festeggiata la giornata internazionale dei diritti umani, tutti a parole hanno aderito da noi (dai partiti che avevano votato il decreto Dini ai soliti calciatori), ma pochissimi si sono ricordati degli immigrati o dei profughi. Il fatto è che l'universalismo giuridico non ha alcuna base reale in un mondo in cui la competizione economica rende più feroci le relazioni tra stati e getta nel limbo dell'emigrazione e dell'esilio milioni di persone nel mondo (18).
O il multiculturalismo è un'ovvietà per chi crede che le leggi di una società non debbano intromettersi nei modi in cui i cittadini mangiano, parlano, si abbigliano o credono, oppure è un modo di eludere il problema dell'eguaglianza di tutti gli esseri umani. Solo i fascisti dichiarano esplicitamente di volere una società in cui la nazio-

ne coincide con credenze e comportamenti privati. E tutti gli altri che cosa vogliono? Allo stesso modo in cui il catechismo cattolico riconosce la legittimità della pena di morte in casi socialmente inevitabili (e cioè potenzialmente in tutti), e la morale laica (naturalmente con diversi accenti e perfino con qualche contorsione) non trova nulla da ridire nel suicidio economico o nella morte dei pazienti che non hanno da pagarsi le cure, così il liberalismo ha rinunciato (se mai l'ha avuta) all'idea di diritti umani non negoziabili. Parlare di multiculturalismo (il diritto alla propria cultura) può anche essere un modo a buon mercato per non parlare dell'uguaglianza e cioè del fatto che, indipendentemente dalla religione, dall'apparenza esteriore o dal modo di macellare la carne, tutti dovrebbero aspirare a una uguaglianza giuridico-politica, al principio banale di una società che riconosce a tutti, indistintamente, il diritto (non trovo altre parole) a vivere la propria vita in condizioni di parità.
La cultura dei diritti universali non appare qui tanto come un feticcio normativo, ma la prospettiva in cui la condizione dei clandestini e degli esclusi deve essere affrontata se non si è accecati da qualche appartenenza nazionale, regionale, culturale o religiosa. Appare qui una grandiosa contraddizione tra l'universalismo del mercato che impone a tutti le sue leggi, la sua lingua e il suo software, e la penosa rinascita delle mitologie patriottiche. Nei due secoli che hanno segnato il trionfo del capitalismo, ex-schiavi, contadini senza terra, popolazioni delle banlieues, poveri e salariati conquistarono il diritto alla cittadinanza, in una feroce dialettica tra nazionalismo e internazionalismo. Oggi, il riconoscimento dei diritti dei clandestini si pone nello stesso solco. Tutto il resto, metafisiche differenzialiste, politiche dell'Altro, ricerca delle radici, fughe nella religiosità, perfino uno snervato multiculturalismo, quando non è travestimento dei propri privilegi, è un modo non di parlare di Altri ma d'altro, fondamentalmente di eludere una delle questioni capitali del nostro tempo.

Note

** Una prima versione di questo testo è stata pubblicata, con il titolo "Il pianeta clandestino", in "Millepiani", 3, 1996.*

(1) J. Rifkin, "La fine del lavoro. Il declino della forza lavoro globale e l'avvento della società post-mercato", Baldini & Castoldi, Milano 1995, documenta molto bene, soprattutto nella parte analitica, questo processo (anche se la terapia proposta è abbastanza discutibile); ma si veda anche S. Latouche, "Il pianeta dei naufraghi, Saggio sul doposviluppo", Bollati Boringhieri, Torino, 1993. Per un'analisi delle trasformazioni sociali e urbane innescate dal processo di globalizzazione cfr. S. Sassen, "The Global City, New York, London, Tokyo", Princeton University Press, Princeton, 1991, soprattutto la parte terza, pp. 193 e sgg.

(2) A. Gorz, "Metamorfosi del lavoro. Critica della ragione economica", Bollati Boringhieri, Torino, 1995; A. Bihr, "Dall'assalto al cielo all'alternativa. La crisi del movimento operaio europeo", BFS, Pisa 1995.

(3) Sul significato politico di questi sviluppi in Italia cfr. M. Revelli, "Le due destre. Le derive politiche del postfordismo", Bollati Boringhieri, Torino, 1996, e AA.VV., "Stato e diritti nel postfordismo", Manifestolibri, Roma ,1996.

(4) M. Davis, "City of Quartz Excavating the Future of Los Angeles", Verso, London, 1990 (trad. it. parziale "Città di quarzo", Manifestolibri, Roma, 1993). Cfr. dello stesso autore "Who killed Los Angeles? A political Authopsy" in "New Left Review", 197, 1993 e "Who Killed Los Angeles? Part two: The Verdict is given" in "New Left Review", 199, 1993. Per una sintesi, S. Christopherson, "The Fortress City; Privatised Spaces, Consumer Citizenship", in A. Amin (a cura di), "Post-fordism: a Reader", Blackwell, Oxford, 1994 e R. Lopez, "Le città-fortezza dei ricchi", in "Le Monde Diplomatique-Il Manifesto", 3, 1996, p. 1. Cfr. anche il mio "La notte, un problema sociologico", in "I nostri riti quotidiani", Costa & Nolan, Genova, 1995.

(5) R. Dahrendorf, "Quadrare il cerchio. Benessere economico, coesione sociale e libertà politica", Laterza, Roma-Bari 1995, pp. 54 e sgg.

Nelle pagine precedenti: Esposizione Internazionale, Mostra introduttiva *Gli immaginari della differenza*, Peter Eisenman, *Delirium* (foto Miano)

(6) Si veda, per un primo tentativo d'analisi della nuova xenofobia italiana il mio articolo "Un test d'intelligenza per gli italiani", in "Micromega", 5, 1995
(7) R. Dahrendorf, "L'autoritarismo asiatico", in "Diari europei", Laterza, Roma-Bari, 1996, pp. 145 e sgg.
(8) Non sfuggirà la relazione tra xenofobia e le paranoie di massa (o medianiche) relative al virus Ebola, alla Mucca pazza e prima ancora all'Aids. Il controllo sanitario degli immigrati è una richiesta corrente nei dibattiti sull'immigrazione. Sul significato culturale di queste fobie cfr. M. Douglas, "Rischio e colpa", Il Mulino, Bologna, 1996. Ovviamente la paranoia preferita (uso la parola in mancanza di altri termini, ma è evidente che la questione non ha nulla a che fare con la psicologia) riguardano la criminalità degli immigrati. Sulla costruzione sociale dello straniero come delinquente rimando agli studi di S. Palidda e in particolare a "Democrazia e criminalità tra gli immigrati", Fondazione Cariplo-Ismu, Milano, 1994.
(9) Il recente "Rapporto Italia '96" (Koiné Edizioni, Roma 1996, pp. 700 e sgg.) documenta la totale inaffidabilità delle stime degli immigrati in Italia. Si passa dai 300.000 indicati dalle Acli al 1.500.000 della Confcommercio. Non c'è bisogno di dire che le diverse stime riflettono le diverse attitudini verso i fenomeni migratori.
(11) Cfr., per un'analisi delle nuove esperienze migratorie, il mio "La nuova immigrazione e Milano, Il caso del Marocco", in AA.VV., "La nuova immigrazione a Milano", Franco Angeli, Milano, 1994.
(12) S. Mezzadra e A. Petrillo, "Frontiere", in "Derive e approdi", 9/10, 1996, p. 5.
(13) A. Sayad, "L'ordre dei immigrations entre l'ordre des nations", in "L'immigration ou les paradoxes de l'altérité", De Boeck, Bruxelles, 1990.
(14) R. Ellison, "Uomo invisibile", Einaudi, Torino, 1993, seconda edizione.
(15) A. Heller, "Dieci tesi sul diritto d'asilo", trad. e commento di A. Petrillo in "Luogo comune", anno III, 4, 1993.
(16) G. Zincone, "Uno schermo contro il razzismo. Per una politica dei diritti utili", Donzelli, Roma ,1994. Che i diritti umani (perché di questo stiamo parlando) siano "utili", e non già fondamentali in ogni ordinamento sociale degno di tal nome, è qualcosa per me di incomprensibile. Naturalmente Giovanna Zincone non ha nulla a che fare con una politica di restrizione dei diritti. Ma nell'idea di diritti elargiti (utili o razionali, come ama pensare la politologia) emerge la meschinità della cultura liberale (esattamente come nelle posizioni della Heller). Su linee analoghe si collocano quegli autori che vorrebbero includere gli immigrati nelle società ricche a patto però che si assimilino in tutto e per tutto alla società ospitante. Cfr. O. Todd, "Le destin des immigrés", Seuil, Paris, 1993; sulla linea dell'assimilazione anche l'ex gauchiste D. Cohn-Bendit. Cfr. D. Cohn e T. Schmid, "Heimat Babylon. Das Wagnis der multikulturellen Demokratie", Hoffman und Campe Verlag, Hamburg 1993.
(17) Cfr. L. Ferrajoli, "Dai diritti del cittadino ai diritti della persona", in D. Zolo (a cura di), "La cittadinanza. Appartenenza, identità, diritti", Laterza, Roma-Bari, 1994; Y. Nuhoglu Soysal, "Limits of Citizenship, Migrants and Postnational Membership in Europe", the University of Chicago Press, Chicago Postnational Membership in Europe, London, 1994.
(18) J. Decornoy, "Un'umanità di 'stranieri' senza fissa dimora", in "Le Monde diplomatique-Il Manifesto", febbraio 1996, pp. 10-11.

Esposizione Internazionale, Mostra introduttiva *Gli immaginari della differenza,* Craig Hodgett & Ming Fung, *The Pulp City* (foto Miano)

Topologie

La structure de ce qui se ferme, s'inscrit en effet dans une géométrie, où l'espace se réduit à une combinatoire: elle est proprement ce qu'on appelle un bord.
J. Lacan Position de l'inconscient (1964).

Antonello Sciacchitano

Parlerò di biliardi. Capirete presto perché di biliardi e perché al plurale. Un biliardo si può astrattamente definire come una porzione di superficie delimitata da bordi. I modi concreti sono tanti quanti i bordi e qualcuno in più.
Ma cos'è un bordo?
Il bordo è un luogo dove la superficie va in crisi. Sul bordo la superficie non si comporta come al suo interno. Dove ogni punto è, appunto, interno, cioè, tale che ogni dischetto, che lo contenga, è interamente contenuto nella superficie, se è sufficientemente piccolo. Ai bordi, invece, le cose vanno diversamente. I punti del bordo godono di una singolare proprietà: per ciascuno di essi, ogni dischetto che lo contiene, grande o piccolo che sia, contiene sia punti interni che esterni alla superficie. Perciò, un bordo è luogo di frontiere, porte, soglie, limiti e quant'altro possa riferirsi ad un esterno e ad un interno.
Il bello del biliardo sono proprio i bordi. Anche la forma del biliardo conta nel gioco, certo. Sul biliardo rettangolare si gioca diversamente che sull'ellittico o sul circolare. Ma la forma del biliardo non cambia sostanzialmente l'essenza del gioco. Che rimane la stessa in ogni configurazione, con la sola differenza che in certe configurazioni il gioco diventa più rapidamente caotico e meno facilmente prevedibile che in altre.
Sul biliardo rettangolare il calcolo della quarta sponda diventa proibitivo; sul biliardo elittico i problemi di calcolo si pongono già dopo il secondo rimbalzo. Non sono giocatore di biliardo. Ma dai miei amici, per cui costruisco biliardi, so che il biliardo non è gioco di tattica ma di strategia. Non conta il singolo colpo, lo specifico percorso della biglia. Conta, invece, la disposizione generale delle biglie a fine corsa. Valgono considerazioni di strategia, o di "messa", come si dice in gergo.
Premesso che non sono un biliardiere, uno che gioca a biliardo per mestiere, ma un biliardaio, uno che costruisce biliardi, devo anche aggiungere, per giustificare la mia presenza qui, che i miei biliardi non li costruisco in pratica ma li architetto in teoria, con carta e matita. Sono progetti di biliardi, i miei. Progetto biliardi come gli architetti progettano case o città. Ci sarà, poi, differenza tra me e loro? Lo direte voi quando vi avrò illustrato qualche mio progetto.
Il biliardaio, l'avete capito, è un matematico. Non fa necessariamente i calcoli, il matematico. I calcoli li lascia fare al ragioniere, che nel caso è il biliardiere. Un matematico si pone domande. Nella fattispecie, il biliardaio si chiede, come noi all'inizio, cos'è un bordo, qual è la sua struttura, se ne esiste una, se ne esistono più, se si può passare dall'una all'altra e come, entro quale sovrastruttura, ecc.
Il biliardiere non ha di questi problemi. Accetta la realtà così com'è. Non si interroga su eventuali alternative. Nella fattispecie, se la fa con un solo tipo di bordo, messogli a disposizione dai costruttori: quello riflettente. Il quale, per definizione, obbedisce alla legge dell'uguaglianza degli angoli di incidenza e di riflessione. Il biliardaio riflette. Un bordo riflettente è elastico: restituisce tutta l'energia che assorbe. Se l'assorbisse tutta, fagoci-

Esposizione Internazionale, Padiglione Italia, Emilio Battisti, *Un fattore di differenziazione* (foto Miano)

terebbe anche la biglia. Ma un bordo assorbente è poco entusiasmante, pensa il biliardaio. Tanto è vero che nei biliardi reali i bordi assorbenti esistono ma ridotti a piccole frazioni del bordo riflettente. Si chiamano buche. Introducono uno stop nel percorso della biglia: una variante alle riflessioni successive. Perciò, qualche buca qua e là aggiunge pepe al gioco.
Addirittura, nel gioco all'americana, mandare tutte le palle in buca è lo scopo della partita. Ma l'intero bordo non può essere tutto una buca. Un gioco totalmente in perdita, dove si perde anche il giocattolo con cui giocare, un gioco senza percorsi di biglie, senza tiri da vantare tra una partita e l'altra, non è un bel gioco.
Le alternative? In fondo, il bordo assorbente non è un bordo. Anzi, è un non-bordo. Ci sono altri non-bordi? si chiede il matematico. Il contrario di un bordo assorbente, il contrario della buca, pensa il biliardaio, sarebbe un bordo che si può completamente attraversare senza perdite. Come chiamarlo? In prima istanza, bordo trasparente non sembra male, tanto per intendersi.
Il biliardaio, da buon matematico, non si formalizza per qualche contraddizione né si preoccupa per qualche paradosso. Quella di bordo trasparente è una contraddizione, apparentemente un paradosso. Infatti, con un bordo trasparente non si delimitano superfici; quindi è impossibile costruire biliardi. Cosa si può costruire, ammesso che si possa, con un bordo trasparente? Se è trasparente, così ragiona il senso comune, semplicemente non esiste. Una porzione di piano, delimitata da un bordo trasparente, coincide con tutto il piano. E si sa che non è agevole giocare a biliardo sul piano infinito, dove le probabilità di impatto tra biglie è infinitesima. Se è così, conclude il senso comune, con bordi trasparenti non si costruiscono biliardi.
Ma il senso comune non è quello del matematico. Che tenta di scavare qualcosa anche là dove sembra impossibile trovare alcunché di strutturale.
Magari a partire da nozioni al limite del contraddittorio, come questa di bordo trasparente. E, presa carta e pennarello, vi disegno un quadrato, come semplicissimo modello astratto dei miei biliardi, che preferibilmente sono rettangoli aurei:

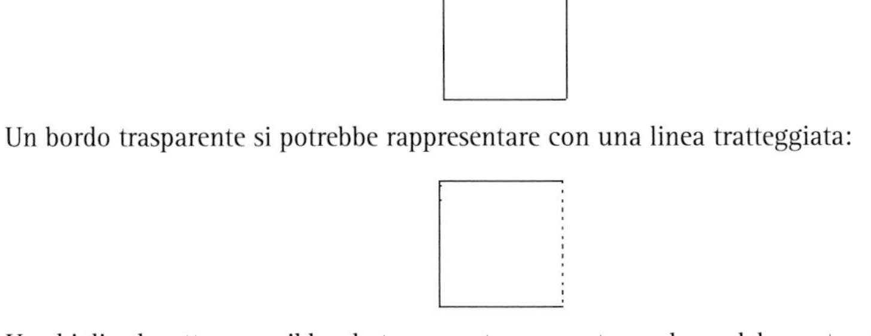

Un bordo trasparente si potrebbe rappresentare con una linea tratteggiata:

Una biglia che attraversa il bordo trasparente, se non trova da qualche parte ostacoli riflettenti, esce definitivamente dal biliardo. Come farla rientrare, senza complicare il modello con sistemi *ad hoc* di ripresa e rilancio della biglia? Il trucco è semplice: basta non lasciarla uscire. E come? In tanti modi. Per esempio si può piegare il biliardo in modo che, se la biglia tenta di uscire a destra, la si fa rientrare da sinistra e se tenta di uscire da sinistra la si fa rientrare da destra. La cosa si realizza sistemando opportunamente un altro bordo trasparente, in modo che la biglia ogni volta che tenta di uscire dal biliardo attraverso il primo bordo, vi rientri attraversando il secondo. Per esempio, così

La cosa sembra interessante. Un bordo trasparente è in realtà doppio. E' formato da due metà, cioè è diviso. Il che pone dei problemi. In che punto la biglia, che esce da una metà, deve rientrare dall'altra? In un punto qualunque? Con una direzione qualunque?
Quanto alla direzione sembra non esserci problemi. Se il bordo trasparente in realtà non esiste - in realtà non interagisce con la biglia - non si vede perché la direzione della biglia debba cambiare. In sostanza, i nostri bordi trasparenti hanno indice di rifrazione pari a uno. I problemi li pone, invece, il punto di rientro. Che, teoricamente, potrebbe essere qualunque. Non scelto autonomamente dalla biglia, ovviamente, ma stabilito con qualche legge dal biliardaio stesso. Che, tuttavia, deve rispettare qualche vincolo se i suoi biliardi non si limita a disegnarli con carta e pennarello ma vuole realizzarli concretamente. Se, per esempio, li vuole costruire di carta, i casi sono solo due. O le due metà del bordo sono parallele (P) o sono antiparallele (A). Nel primo caso ottiene un biliardo cilindrico:

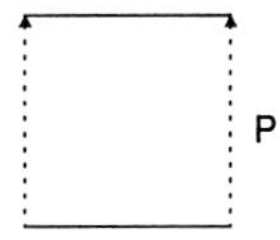

Nel secondo, un biliardo di Möbius:

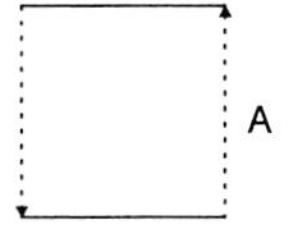

La differenza ha conseguenze rilevanti sui percorsi delle biglie. Per esempio, i percorsi, chiamiamoli così, equatoriali, nel biliardo di Möbius si spezzano in due semipercorsi, simmetrici rispetto alla mezzeria del biliardo, mentre nel biliardo cilindrico rimangono integri. Ciò dipende dal fatto che in un caso si ha riflessione attorno ad un asse di simmetria, nell'altro no. Qui uno psicanalista direbbe che in un caso si realizza una trasferimento, o transfert, come dice lui, nell'altro no (a suo tempo, notiamolo tra parentesi, Freud distinse nevrosi da transfert e nevrosi senza transfert o narcisistiche).
Ecco il quadro:

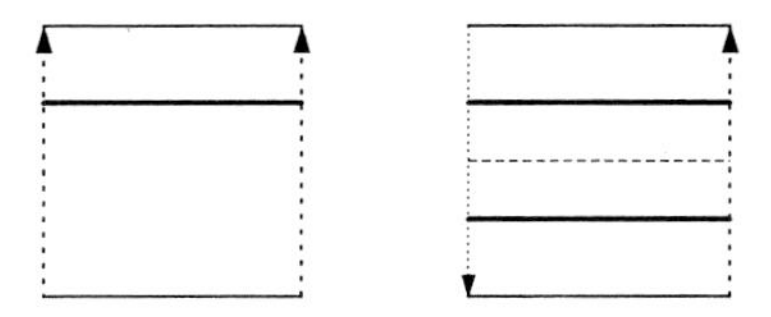

Se fossi un filosofo, ma sono un biliardaio, comincerei a speculare sulla dipendenza dei percorsi, in particolare quelli che ci interessano qui, oggi, i percorsi di scrittura, più in particolare ancora quelli narrativi, dai luoghi che devono attraversare, dall'ambiente che

li ospita, in ultima analisi, dalla struttura dello spazio in cui sono immersi. Prenderei spunto dal fatto che in spazi cilindrici i percorsi non si raddoppiano, mentre in ambienti con struttura di inversione si spezzano in due sottopercorsi, uno in andata e l'altro in ritorno, per iniziare a tratteggiare una mia teoria della narrazione.
Fortunati voi che non sono filosofo ma biliardaio. Perciò non ho una mia teoria da propinarvi. Innanzitutto, a me interessa - come dire? - la metateoria della scrittura: a me interessa indicare i campi dove le singole teorie possono crescere meglio e segnalare le zone sterili. E poi, ho preso tanto gusto a questa storia di bordi trasparenti che voglio andare avanti con la loro topologia per vedere come va a finire.
I biliardi finora costruiti sono misti. Possiedono entrambi i tipi di bordi: riflettenti e trasparenti. Cosa succede, mi chiedo, se tutti i bordi diventano trasparenti? C'è una casistica da esaminare. I bordi trasparenti sono di due tipi, abbiamo detto: parallelo (P) e antiparallelo (A). Le combinazioni di due bordi sono quattro: PP, PA, AP, AA, che tuttavia, si possono ridurre a tre: PP, PA, AA, in quanto PA non si distingue da AP perché l'orientamento del biliardo nello spazio non conta. Infatti, è indifferente considerare come primi i bordi paralleli e gli antiparalleli. Graficamente, le cose di presentano così:

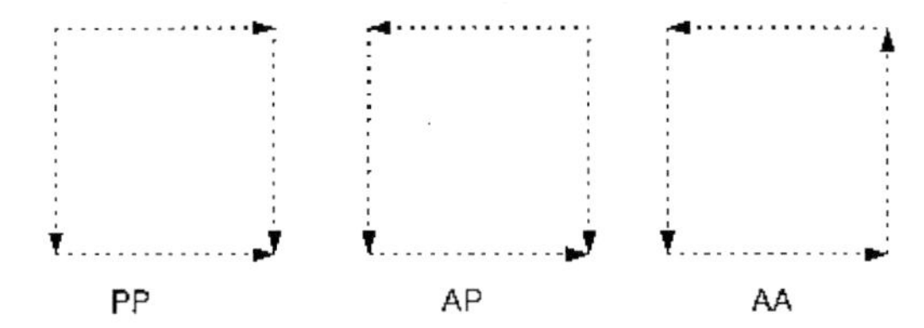

Di questi biliardi astratti si possono dare modelli cartacei che a tutto somigliano tranne che a biliardi. La cosa non spaventa me e non stupisce degli architetti, ma può imbarazzare chi non è abituato a distinguere tra modelli, o presentazioni di una struttura, e la struttura stessa, in ultima analisi, tra progetto e realizzazione. La quale, in se stessa, non è rappresentabile ma è presentabile solo attraverso modelli, a volte, nei casi più interessanti, addirittura attraverso più modelli tra loro non confrontabili. Come i seguenti modelli cartacei rispetto a quelli grafici.
(Qui interrompo l'esposizione per mostrare alcuni modelli in carta di PP, di AP e di AA. L'operazione che realizzo nel modello cartaceo è la saldatura delle due componenti del bordo trasparente, rispettando l'orientamento di ciascuna componente del bordo. In topologia si parla di identificazione dei bordi, rispettivamente diretta e inversa. Da PP si ottiene il toro, da AP la bottiglia di Klein, da AA il piano proiettivo).
Di fronte a tanta cianfrusaglia qualcuno sentirà di preferire decisamente il nitore degli schemi grafici. Altri, invece, sarà portato a trovare conferma di qualche sua congettura: ad esempio che, resi trasparenti tutti i bordi, si generano superfici chiuse, senza bordo, come il toro, la bottiglia di Klein e il piano proiettivo (a costoro consiglio prudenza perché in matematica le congetture si possono solo falsificare, e i teoremi solo dimostrare). La conferma, o corroborazione, non esiste in matematica. Volendo sottilizzare, in AA c'è qualcosa di singolare e critico molto simile, almeno nello spazio ordinario, a un bordo. Si tratta di una linea di autointersezione. Ma su questo sorvolo perché dovrei affrontare problemi di immersione della struttura nello spazio ambiente e distinguere tra proprietà

intrinseche, non dipendenti dallo spazio di immersione, e proprietà estrinseche). Ad altri ancora sembrerà strano che nel catalogo non figuri la superficie, per millenni considerata, da Parmenide in poi, la perfezione dell'essere: la sfera della rotonda verità.
Dedicherò la conclusione del mio discorso a questi ultimi.
Ai parmenidei dirò che il loro beneamato "sfero sterico" non manca all'appello. La sfera è stata presentata in modo surrettizio attraverso lo stesso schema PP del toro, che in un certo senso viene da lei parassitato. La differenza tra sfera e toro è nel riferimento di simmetria. Che nel toro è doppio, e rappresentato dagli assi orizzontale e verticale, mentre nella sfera è semplice, e rappresentato dalla diagonale principale, da pensare come risultante tra orizzontale e verticale:

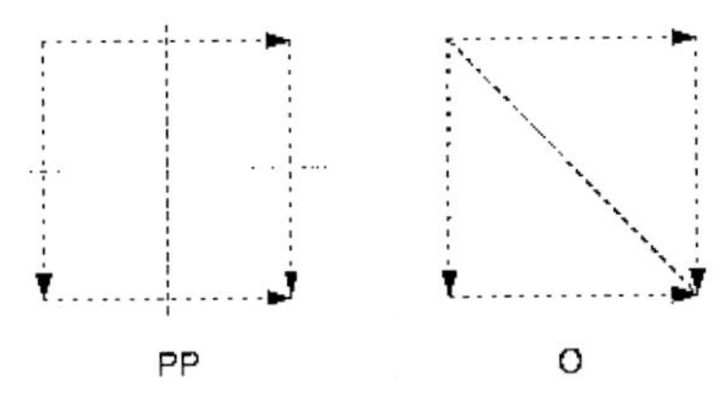

In effetti, i bordi della sfera non sono né paralleli né antiparalleli. Li si potrebbe chiamare zeroversi, nel senso che il loro parallelismo non è né diretto né inverso ma degenere, in quanto i bordi cessano di essere bordi con una propria dimensione e collassano in un punto. Topologicamente parlando, si ottiene una superficie equivalente alla sfera, modificando un disco a forma di calotta, poi di borsa di tabacco, restringendo la circonferenza del bordo fino a ridurla ad un punto. La sequenza potrebbe essere la seguente:

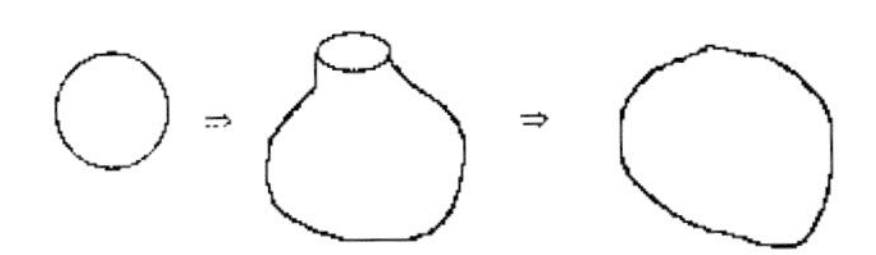

Aggiungiamo che si passa dal modello grafico della sfera al modello cartaceo piegando il biliardo lungo la diagonale principale e incollando i bordi.
L'apparente identità dei due biliardi toroidale e sferico mi permette di concludere l'intervento con un contributo più pertinente al tema del nostro incontro: *Identità e differenze*. Le differenze scaturiscono dal taglio delle due superfici. Per semplicità consideriamo solo tagli chiusi su se stessi e non autointersecantesi. Si verifica, e si può dimostrare, che ogni taglio della sfera produce due calotte, topologicamente equivalenti. Ciò vuol dire che, senza lacerarla né saldarla, si può deformare una calotta fino a farla coincidere con l'altra, quella complementare. Si dice, anche, che la sfera è semplicemente connessa. Per contro, ogni taglio del toro produce due superfici topologicamente non equivalenti. Il toro non è una superficie semplicemente connessa. I casi che si presentano dopo il taglio sono due: o il taglio non disconnette la superficie, ma la trasforma in un cilindro (in questo caso una delle superfici è vuota), o il taglio divide la superficie in due parti topologicamente non equivalenti: un dischetto, simile ad una calotta sferica e una figura ad otto, formata da due cilindri incollati in modo che le loro generatrici risultino ortogonali.

Sullo schema grafico del biliardo toroidale le cose si presentano così:

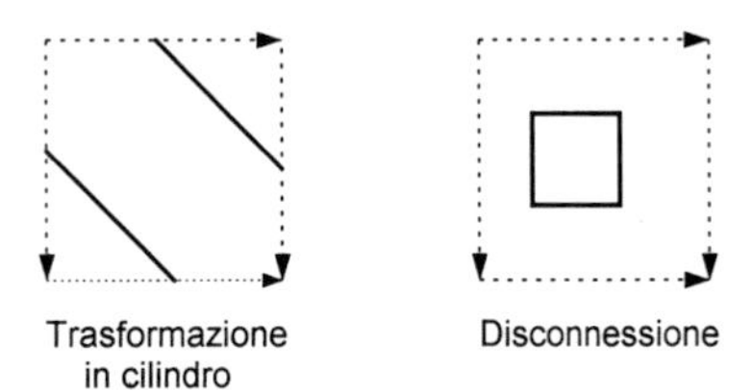

Ci si può sbizzarrire a tagliate biliardi. Lacan ci ha provato con il taglio ad otto interno:

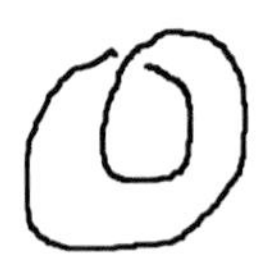

applicandolo a tori e piani proiettivi. Un risultato questi tentativi l'hanno conseguito: di ripresentare la narrazione edipica in termini nuovi e la tragedia della castrazione in termini meno banali di quelli del taglio del pisello. Ma non svilupperò questo filone. Sono giunto alla fine del mio discorso. L'unica proposta su cui concludo è metateorica, come annunciavo.

Non propongo una mia teoria della scrittura. Segnalo una condizione necessaria perché *delle* teorie - al plurale - della scrittura possano articolarsi.

In pratica, propongo di abbandonare la sfera come luogo teorico dove ambientare la varietà delle linee di scrittura. Consiglio di prendere esempio dal biliardaio e dedicarsi a biliardi diversi da quello sferico. Perché sulla sfera qualunque percorso di scrittura produce solo identità e non differenze.

Assimilata la scrittura ad un taglio, scrivere sulla sfera produce l'identità topologica delle due calotte complementari. Con conseguenze deleterie a livello teorico. Infatti, se c'è solo identità non ci può essere scrittura propriamente detta. Che avanza per scarti e differenze.

Non meno disdicevoli sono i risvolti di questa topologia sferica a livello pratico. Infatti, dal lato della pratica della teoria, se c'è identità dei complementari, si possono costruire solo gerarchie, utili a classificare il noto, ma inutili alla ricerca, perché ciò che escludono è strutturalmente identico a ciò che includono. Non c'è posto per strutture innovative, come quella dell'inconscio, nella pratica teorica sferica. D'altro lato, nella pratica pratica, nella bassa cucina della scrittura, le cose non vanno meglio. Infatti, nell'identità piena della sfera non c'è spazio per scrivere storie. O meglio, si danno solo quelle storie di conformazione a modelli, ritenuti ortodossi, o agiografie. Nella topologia sferica la scrittura diventa trascrizione o copia.

E non è tutto. Se si dà, così pesante e pervasivo come sulla sfera, solo il riferimento al complementare, il femminile sfugge alla presa. Perché il femminile non è mai complemento di alcunché. Il femminile non chiude il discorso, come il coperchio che chiude la pentola. Tutt'al più, il femminile è un supplemento, un eccesso incalcolabile, anche quando è una mancanza.

Nella pagina a fianco: Esposizione Internazionale, Mostra introduttiva *Gli immaginari della differenza*, Jean Nouvel, *La finestra sul mondo* (foto Miano)

Passando per la complementazione delle due metà, che riunite ricostituiscono la perfezione dell'uno, come sulla sfera, il femminile svanisce. Infatti, il femminile, come il desiderio, non è perfetto. Se tutto è perfetto, se tutto combacia, se nulla manca, il femminile, come il desiderio che lo anima, viene a mancare. Allora, cos'altro mai può raccontarsi di interessante? Non saprei.
Forse, evacuato il femminile, rimane da proiettare sullo schermo della fantasia del lettore solo qualche film western, uno di quelli con i buoni buoni e i cattivi cattivi. Che, tuttavia, hanno fatto il loro tempo. Come la nostra gioventù.

I partecipanti al convegno *Fare la differenza*. Da sinistra e dall'alto: Paolo Gambazzi, Aimaro Isola, Antonello Sciacchitano, Laura Boella, Pietro Derossi, Rossella Prezzo, Pier Aldo Rovatti, Bianca Beccalli, Alessandro Dal Lago, Vittorio Gregotti, Carlo Formenti, Pierluigi Nicolin (foto Miano)

Architetti e filosofi a confron

Invito alla discussione

Pier Aldo Rovatti

È stato riconosciuto in più di un intervento che una riflessione come quella di Paul Ricoeur ci aiuta molto perché ci suggerisce l'immagine della città come luogo dei racconti, e comunque ci fornisce un operatore teorico grazie alla nozione di identità narrativa. Dire che la città è il luogo dei racconti equivale a dire che la città è riconoscibile nella sua situazione di differenze come un'identità narrativa.

Sono stati espressi consensi riguardo a questa posizione, ma anche l'esigenza di problematizzarla. Uno dei punti è che l'idea di racconto e l'immagine della narrazione non sono così facilmente manovrabili come forse pensa Ricoeur. La parola narrazione, infatti, apre una serie di punti interrogativi; per esempio, a mio parere, apre ad uno scenario paradossale. Mi limito a suggerirne un secondo tra i tanti che sono venuti fuori, relativi alla difficoltà di non ricadere in un'idea di unità già precostituita. E' stato usato anche il termine ibridazione, e questo termine denota bene la difficoltà di caratterizzare una "comunanza" che si alleggerisca del suo peso identitario a vantaggio di un altro modo di stare e fare insieme.

Ancora un punto che vorrei mettere in evidenza è legato all'intervento di Alessandro Dal Lago, che in sostanza ha detto: non è una questione di casa, in qualunque modo noi intendiamo questa parola, ma è una questione preliminare di diritti. Io credo, invece, che noi siamo nella gran parte convinti che è una questione di casa. Ma che significa dire che è una questione di casa? Proporrei al dibattito soprattutto questo ultimo interrogativo.

Per parte mia, osservo che noi continuiamo ad usare le parole "dentro" e "fuori" e che abbiamo bisogno di collegarle tra di loro in un quadro diverso da quello a cui siamo normalmente abituati, secondo una logica del confine che separerebbe il nostro dentro dal nostro fuori, logica che continuamente riproduciamo ogni volta che consideriamo un oggetto-casa o lo facciamo equivalere con il dentro.

Si tratta di rendere più fragile la frontiera, non eliminando però questa frontiera; come se ci fosse l'esigenza di descrivere un movimento più complicato che non passa dal dentro al fuori o che non ritorna dal fuori al dentro, ma che produce una circolazione di andata e ritorno, tra dentro e fuori, e una certa impossibilità da parte nostra di determinare una volta per tutte questa frontiera. Frontiera - per paradossale che sia questa affermazione - dovrebbe essere qualcosa insieme di determinabile e indeterminato o indeterminabile.

Chi ci ha parlato qui, in modo abbastanza spaesante, di biliardi,

Nella pagina a fianco: Esposizione Internazionale, Padiglione Italia, Daniele Del Giudice, *Macchine del tempo* (foto De Tullio)

aveva di mira, se ho capito bene, proprio la questione del bordo, la questione di che cosa sia un bordo per noi e di dove si collochino i confini. Come trattiamo questa nozione di confine, di margine, di bordo, nelle nostre pratiche, sia nella pratica di chi pensa un certo problema e deve definirlo, sia nella pratica di chi progetta (Piero Derossi parlava della provvisorietà del fare progettuale), e quindi deve stabilire, finire, o semplicemente segnare delle pause.
Ci sono naturalmente molte altre questioni, per esempio quella che ha posto Bianca Beccalli, quando ha detto: non è più epoca di differenza, al singolare, ma è epoca di differenze. Il suo riferimento era alla questione delle donne o di genere, come l'ha chiamata. Ha affermato: io non piango la perdita della teoria della differenza. In filosofia sono state proposte recentemente varie teorie della differenza. Paolo Gambazzi si è riferito a Merleau-Ponty e a Deleuze, parlando di visibilità e di piega. Si tratta allora di prendere una posizione: fare a meno di qualunque teoria della differenza sarebbe un errore oppure un vantaggio?
La questione interessa anche gli architetti, coloro almeno che continuano a dare alla parola differenza questa enfasi, in un'epoca in cui effettivamente essa sembra avere fatto il suo tempo.
In fondo le due parole che stanno a sigla della Triennale 1996, congiungendo l'idea di verticalità con l'idea di curva, potrebbero essere un diverso tipo di rappresentazione di un'immagine che ci sta ormai alle spalle, e che ci ricorda i dibattiti degli anni '70. Che vantaggio ci ripromettiamo con questa variazione?

Narrazione e paesaggi

Aimaro Isola

Mi sono divertito molto, ieri, ad ascoltare. Mi piace ora raccogliere al volo alcune parole che rimbalzavano nell'aria e restituirle dopo averle disordinate: quelle che ha richiamato Rovatti, e forse anche altre che, come architetto, più mi intrigano. Ammetto però che se "straniero" mi sento tra i filosofi – ma ascoltandoli molto mi diverto – forse ancor più straniero, alle volte, mi sento nei recinti dei miei colleghi di mestiere, dei quali ormai sono note le regole dei giochi. Non parlo, quindi, certamente in nome dell'architettura. Il nostro modo di lavorare (quello di Gabetti e Isola), ancora molto appartato ed artigianale, ci permette di non proporre mai i nostri lavori come esempi, e se "maestri" ci sentiamo è solo nel dubbio e nell'incertezza.

Nemmeno voglio, per l'occasione che qui mi è data, rivestirmi con l'abito della filosofia (o più semplicemente della saggezza), perché so benissimo quanto siano, di solito, pessime le filosofie degli architetti.

La mia ambizione sarebbe quella di arricchire la conversazione con riflessioni che nascono dal nostro mestiere, anche se nei suoi recinti non possono certo essere contenute, anzi lo eccedono. Sono domande, riflessioni, i cui esiti, se trapelano come tensioni in alcuni nostri lavori, pongono però, io credo, temi e problemi che il pensiero contemporaneo non può ignorare: ad una ingenua e fasulla, ma anche qui persistente traduzione nei linguaggi dell'architettura di discorsi o giochi filosofici, occorre opporre una grande attenzione e serietà nel cogliere, insieme, i valori etici e non soltanto estetici o economici (ontologici) che il progetto del nostro abitare la terra oggi comporta.

Il mio atteggiamento di ascolto delle parole di stamattina e di ieri – questo intervento è una confessione? – è stato, un po', quello del bambino che si prepara a sporcare le cose dei grandi, perché, se troppo pulite, troppo belle, diventano difficili da cogliere e, così, non sono nemmeno tanto "vere". Se un po' sporchi, anche certi pensieri diventano più visibili, si stagliano più nitidi i contorni degli oggetti.

Il mio sporco, naturalmente, è lo sporco degli architetti: a me piace "pensare con la matita" e mi piace molto colorare, sporcarmi e sporcare i fogli bianchi con il pennello; poi, un po' come tutti i progettisti, sono contento quando mi è dato di sporcarmi, non solo le mani, ma anche i piedi, nel cantiere.

Il silenzio

Vorrei fare un esempio: ieri c'è stato un breve, ma intenso, accenno al silenzio. Ho pensato al "nostro" silenzio. Al silenzio di chi fa architettura. Il nostro non è silenzio perfetto, rigoroso come quello dei mistici, ma nemmeno prezioso come quello dei poeti, o come quello dei filosofi, che è *epoché,* sospensione, attesa della parola. Il nostro è silenzio pesante, che sa di essere interrotto, disturbato. E' gravido dei nostri saperi e delle nostre pratiche, di cose che ogni volta dobbiamo ascoltare e negare. Ci sta dietro alle spalle quando lavoriamo al tecnigrafo, ci accompagna col rumore del cantiere, si ripresenta continuamente mentre l'opera cresce: riporta ogni volta il nostro progettare all'inizio, al dubbio, al foglio bianco Silenzio che produce materia, e che qualcuno, speriamo, ascolterà nelle nostre architetture.

Identità e differenze

Permettetemi una breve immagine. Mi piace ritrovare una continuità nei luoghi e nei temi, quasi che i luoghi trattengano e salvaguardino certe parole per restituirle, nel tempo, più ricche. Allora (siamo nel 1981) Guido Canella aveva invitato Aldo Rossi e noi, Gabetti e Isola, a "rappresentare" nella lunga galleria qui a lato (aveva ancora la bella dimensione allungata, disegnata da Muzio), *Architettura: Idea/Conoscenza.* Non era, forse, un altro modo, ora diventato più ricco, più complesso di dire l'identità e la differenza, alla Triennale?

Dopo un primo amichevolissimo incontro con Aldo, abbiamo capito che era meglio tener conto delle nostre reciproche *identità,* e dividere il lungo unico spazio in due *differenti* lunghissimi spazi: l'Idea, (A. Rossi) si sarebbe sviluppata parallelamente alla Conoscenza (Gabetti, Isola). Da una parte Aldo ha schierato purissimi, bianchissimi spazi, scatole tutte molto pensate e misurate, eseguite da ottimi standisti. Ai muri belle fotografie di architetture, all'interno, a rendere magici, platonici gli spazi, c'erano elementi di legno politissimo: il cubo, il cono, e anche la sfera. Sì, proprio quella sfera che, come ci è stato detto, può essere pericolosissima (ma gli architetti, dopo Boullée e dopo qualche esempio recente, ne avevano, purtroppo, avuto il sospetto). I visitatori uscivano, da queste geometrie dell'idea, molto, molto seri e pensosi.

Noi parallelamente abbiamo fatto una cosa esattamente differente: un grande sipario di tela di sacco, strappato e malamente rattoppato. Anche la scala, che era rimasta lì, appoggiata, da quando avevamo scritto sulla tela, in oro, la "Conoscenza", aveva qualche gradino rotto. Dietro questo spazio iniziava una fitta selva di pali e di assi da cantiere, ancora un po' sporchi per i molti usi. Con l'intervento di un bravo carpentiere, con poche indicazioni grafiche e con molta invenzione, abbiamo montato una lunga passerella che andava su e giù, tra i ponteggi fra case in costruzione: il pubblico passava tra grandi quinte, sulle quali erano riprodotte, fotografate quasi al vero, a colori, sezioni di edifici, tratte da vecchi manuali tecnici di architettura. Queste immagini mi piacevano, ma mi terrorizzavano anche un po', per la memoria di quelle case sezionate, non da bravi disegnatori, ma da bombe cadute sulle nostre città: si potevano ancora vedere, come in quelle, le tappezzerie, il quadro, il lavabo, e, quasi impudicamente ostentate, le budella degli impianti tecnici, tubi, sifoni, braghe. Si passava lì in mezzo.

Lungo il percorso, un po' alla rinfusa, le cose e gli strumento dei mestieri del costruire; *coffrage tunnel,* vecchi e nuovi bagni, poi statue, quadri. Tra una casa-quinta e l'altra bianchi panni stesi che sventolavano; su questi panni, in serigrafia, frammenti di poesie. Cose viste o lette che, in noi, erano diventate architetture. Ci è piaciuto vedere i visitatori, grandi e bambini, che uscivano da questo percorso ridendo, incuriositi, intrigati.

Forse è stato questo, per noi, un modo di dire, di narrare, con l'architettura la "conoscenza", le *differenze.*

Dalla narrazione al paesaggio

Ieri, identità e differenze, nella loro indicibilità ed abissalità, ci facevano, sovente, scorrere verso i più tranquillanti luoghi della narrazione.

Abbiamo letto il bellissimo scritto di Ricoeur, anche questo forse, per me, un po' troppo tranquillante. Sembra quasi che la storia si sia fermata, che il tempo (tempo e racconto!) non scorra più; le differenze si appiattiscono. Sembra che la retorica della narrazione sia valida per tutto e per sempre. Forse ciò è vero, ma, forse, occorre oggi capire la durezza specifica del racconto/architettura, la differenza radicale che oggi segna uno scarto tra il narrare e l'abitare/costruire. Le narrazioni possono essere piene di gioia, possono presentare il tragico, possono lasciarci perplessi. Ma possiamo chiudere il libro, interrompere la lettura del romanzo. Una tragedia, anche se lascia cicatrici sul corpo e nella storia, possiamo sospenderla, uscire dal teatro, metterci da parte.

Sarà ancora certamente per deformazione professionale, ma mi pare, nell'abitare lo spazio, sia, *inesorabilmente,* coinvolto tutto di noi e non solo la nostra corporeità; qui veramente, e non nella geometria, dietro lo spazio non c'è più spazio; di qui oggi (forse non ieri, ma certo oggi) non possiamo più scorrere via nell'infinito. Spazio pesante – questo, mio, vuol essere un elogio non della "leggerezza" ma se mai della "pesantezza" – spazio sporco, come quel silenzio dove anche il pensiero entra e si sporca. Si può dire: una *khenosis* del pensiero?

Il pensiero si sacrifica, diventa materia, diventa corpo per essere colpito, mortificato, ma anche esiste, abita e forse è.

Ho il sospetto – e so che molti, con buone ragioni, non sono d'accordo – che oggi, qui nell'Occidente, *abitare* (cioè dimorare, ma soprattutto percorrere, errare) ed *essere* tendono sempre più a coincidere.

Ma ancora una volta vi chiedo scusa, la parola narrazione, come anche la parola "architettura", per scarti successivi, mi sono scivolate via: si stanno trasformando in un'altra parola all'apparenza più ingenua, frivola, più ricca di gioia ma anche di senso tragico: nel "paesaggio".

E' qui forse, dentro il paesaggio, che si gioca oggi il nostro abitare/essere.

Forse, mi accorgo solo adesso – è troppo tardi? Molti mi vedranno come un piccolo traditore – che non ho mai amato il nome dell'Architettura: c'è dentro violenza, *arché*, il principio, la fondazione, gli ordini (degli architetti, il corinzio, i "moduli" del moderno?). Lì c'è violenza di cose.

Mi piacerebbe pensare oggi a un *indebolimento* dei saperi e dei poteri dell'architettura, ad una loro dispersione, apertura, uscita verso il "paesaggio".

Il nostro spazio non è quello percorso, come si diceva, da una palla da biliardo che rotola indifferente sulla *boucle sans fin,* e non è come quello del racconto che può cominciare e avere, o meno, lieto fine e che può essere interrotto. Lo spazio dei nostri paesaggi è ricco di pieghe, oggi ce lo costruiamo addosso, le sue pieghe sono le rughe dei nostri volti. Il paesaggio non è solo la scenografia, lo sfondo dove si svolge il nostro racconto. Con noi nasce e muore; là forse si gioca la nostra ontologica differenza.

Il paesaggio è quindi pochissimo frivolo, non è solo mare, alberi, non è più la "nature belle" dell'*Encyclopedie.* Non è nemmeno da confondere con l'*environment* caro agli ecologi, con il panorama e tanto meno con il "contesto", brutto termine tanto caro agli architetti e che apre all'alibi e alla mimesi: io faccio il testo, il resto rimane quello che è.

Sì, nel paesaggio non c'è solo la storia, ma quello che più conta, anche il destino dell'Occidente. Eccede, va oltre la storia dell'arte, della pittura, dell'agricoltura come della geografia; lascia un pesante residuo. Pochi filosofi, alcuni molto bravi, lo hanno pensato. Paesaggio come differenza, come libertà, emancipazione dell'identità della natura, della *physis*.
Non è più soltanto quella differenza che Petrarca coglieva tra sé e il contadino, guardando la pianura dall'alto del monte Ventoso, né il panorama delle città che Hegel additava ammirato (quella stessa città che era per Kant il luogo nato dal male e per il male).
Non può essere nemmeno più il paesaggio-nostalgia del primo Romanticismo, (oggi riproposta vernacolare di un improbabile passato), né l'utopia tecnologica di tardive "avanguardie" (miraggio di un progresso del quale stiamo scontando gli esiti).
Non è più sufficiente, lo era ieri, mettere in cornice, ritagliare un pezzo di natura, contemplarla "liberamente" per avere paesaggio/emancipazione: oggi il nostro sguardo cade, subito, irrimediabilmente, non su ciò che sta dentro, ma su ciò che sta fuori dalla cornice.
E' stato detto in precedenza, "anche le cose ci guardano": i paesaggi, loro, ci guardano, a volte, con occhi giulivi, ameni, ma, ora, più sovente, con occhi tremendi, tragici. E guardano noi come stranieri, essi ora ci chiudono in cornice. Ora dove tutto è natura tutto è anche artificio, tutto è *physis*.
Dove tutto è arte più niente è arte, quindi nulla. Il nostro destino finisce nella trappola dei paesaggi virtuali dove, negli elaboratori, si incontra il massimo dell'arte con il massimo delle tecnologie.

Uno sguardo dal nulla

Dalla differenza alla narrazione, al paesaggio: ma ora anche questo paesaggio sembra scivolare via dalle mie mani, perdere spessore, svanire.
In questo disincanto Nietzsche poteva far saltellare Zarathustra. Noi non vogliamo o non siamo capaci di essere leggeri come Zarathustra, né vogliamo essere l'ultimo uomo.
Forse proprio perché sentiamo quella "pesantezza" che prima elogiavo: pesantezza che si posa, che ha sotto di sé il nulla, ma dalla quale fatichiamo, come il barone di Münchausen, a "tirarci fuori per i capelli". Così da Nietzsche, forse, dovremmo risalire a Novalis quando dice, anche lui, che il mondo, sì "è diventato favola", ma non per annullarsi in un niente, "ma per accedere ad un più alto significato". Forse oggi da questa prospettiva da questo alto, abissale monte che è il nulla della nostra narrazione/paesaggio, possiamo fare emergere non un valore, una verità, ma incroci di valori e verità, pratiche che dai territori dell'estetica trabocchino verso un'*etica*: etica non come "costume, abitudine" ma, sì, momento dinamico dell'abitare *insieme* la terra. E incontro/scontro con gli altri, con altre prospettive/paesaggi, incrocio di sguardi.
Paesaggio, quindi, come costruzione di ospitalità nel senso di Jabès, responsabilità secondo Jonas. Ospitalità, cioè, non soltanto come conoscenza letteraria, ma, a partire dalle nostre totali indigenze, ascolto e proposta di modi di abitare la terra.
Sarò feticista, ma gli altri o l'altro sono anche le case e i vuoti ed i pieni urbani, i luoghi del lavoro, sono questi paesaggi, sovente scalcinati, che ci guardano dalle loro fine-

stre, luoghi stipati, densi di vecchie e nuove tecnologie, nei quali la gente, come quell'unica moltitudine di Pessoa o come l'orda di Canetti, corre e si ferma.
E' forse, cioè, dentro questo *nostro* paesaggio, attraverso sguardi che muovono da molteplici pesantissimi silenzi, da questa radicale mancanza di fondamenti che il fare deve acquistare un senso. Come incontro, messa in intrigo di persone e di cose, il paesaggio ingloba, completandola, l'idea di paese (*pays/paysage*) diventa politica, cittadinanza: forse proprio con il paesaggio è possibile costruire e narrare oggi l'identità delle differenze. Credo che per abitare e far abitare la terra, per fare diventare narrazione il nostro essere al mondo – poiché non ci sono archetipi nascosti da dissotterrare, né mete ultime da raggiungere, poiché non c'è uno *arché,* né tanto meno teorie dell'architettura che ci sorreggano – ci vuole *invenzione,* ci vuole *coraggio.*
Per far diventare spazio dell'abitare (dell'essere?) queste nostre tipologie, questi mattoni, queste geografie, queste storie, ci vuole anche *mestiere.* E coraggio non vuol dire *ybris,* non è "audacia delle strutture" monumenti a se stessi, trucchi, moduli risolutivi, scorciatoie per riscrivere in fretta la storia delle arti. Per dare ospitalità all'essere in questi tessuti infetti, da questo vuoto, fogli bianchi sui quali tracciamo i nostri progetti, tra ponteggi traballanti, tra goffe liturgie burocratiche, in questo nulla, sporcato da strumenti che non funzionano, occorre forse anche guardare e inventare con *pietas* antica questi paesaggi che ci circondano.
Allora, forse, potremmo intravvedere e tracciare, sui nostri luoghi, segni come luccichii, riflessi, che ci fanno apparire i contorni delle cose. Presenza di un'assenza. Ma forse saranno solo barbagli, *paillettes* che rivestono quell'antica prostituta che sempre sapientemente teniamo fuori dai nostri discorsi. L'enigmatica *bellezza?*
Queste ed altre cose ho colto negli interventi precedenti.

Esposizione Internazionale, Padiglione Italia, in alto: Adolfo Natalini, *Un angolo ferrarese* (foto Miano); a fianco: Ugo La Pietra, *Interno-esterno* (foto Miano)

L'identità del progetto

Vittorio Gregotti

Come è noto, il luogo deputato nel quale è stato depositato il sapere architettonico come esperienza e come fondamenti, tra loro strettamente connessi, è stato per secoli, almeno da Leon Battista Alberti in avanti, il trattato. Esso copriva sovente un sapere molto ampio, dalla meccanica all'astronomia, dalla matematica al taglio delle pietre. A partire da un centro disciplinare molto chiaramente individuato, il trattato muoveva verso l'incontro con altre attività creative, scientifiche o poetiche.
La scientifizzazione della nostra disciplina, la sua specializzazione in attività diverse che attengono al progettare e al costruire, il modificarsi dell'idea stessa del costruire (un tempo tutto ciò che veniva costruito sembrava o faceva riferimento all'architettura; oggi tutto ciò che si costruisce sembra una macchina più o meno decorata) sembra aver reso incerto il territorio dell'architettura, ma soprattutto il territorio dei discorsi sull'architettura, resi da un lato realisticamente praticistici dalla tradizione del manuale che ormai dura da più di due secoli, dall'altro resi vaghi da una riflessione che oscilla tra ricerca teorica e scelta poetica.
Ciò è reso ancor più critico dalla necessità di dare quasi ad ogni progetto un proprio fondamento in assenza di consistenti riferimenti generali stilistici, pratici o ideali se non quelli suggeriti proprio dalla condizione di tale assenza, e quindi dalla casuale accelerazione delle mode. Tutto questo corrisponde anche ad una incertezza intorno al ruolo sociale e culturale della figura dell'architetto, che tende ad automarginalizzarsi dall'universo della propria disciplina, diventando volta a volta director, manager, decoratore o trafficante politico, alla ricerca per metà di una necessità del proprio agio, per metà sospinto dall'ansia di esistere partecipando Al processo di mediatizzazione del reale.
Quando ho cominciato a praticare l'architettura, più di quarant'anni or sono, il fatto che frequentassi le lezioni di Enzo Paci ed avessi un intenso scambio con i suoi allievi era un'eccezione assoluta nella cultura architettonica italiana, eccezione spinta dalla curiosità intellettuale di Ernesto Rogers e dalla critica positiva al moderno apportata dalla mia generazione nel quadro di una condizione di parti contrapposte apparentemente ancora salda. Si trattava di una critica alla quale la frequentazione del discorso filosofico (ma per noi anche di quello antropologico, storico, geografico e linguistico) ha enormemente contribuito.
Tutti noi siamo, non solo nella riflessione ma nell'esperienza, al corrente del fatto che i confini tra scienze ermeneutiche della comprensione e scienze naturali della spiegazione si sono fatti più sottili e frastagliati in questo secolo. "Ogni giorno - per usare un'espressione di Paolo Rossi - schiere di clandestini passano il confine" e questo è positivo non solo per chi è a favore del transito libero ma anche per chi è interessato al mutevole consolidamento (mi si passi la contraddittoria affermazione) dei nuclei centrali delle stesse discipline, più che dell'estensione dei loro territori.
Ma la natura del ricorso al discorso filosofico da parte degli architetti è, in questi anni, deformato da alcuni vizi che potrebbero essere fatali, anche al di là della ristrettezza e della convenzionalità di riferimenti e citazioni e dei malintesi frutto di indebite trasposizioni linguistiche. Si tratta, nella maggioranza dei casi, di un fenomeno di ritorno dagli Stati Uniti dove, negli anni '80, gli architetti hanno scoperto il discorso filo-

sofico come metafora dei problemi della propria disciplina e delle incertezze psicologiche intorno al proprio statuto sociale.
Questo affrettato avvicinamento non ha favorito la formazione di un piano adeguato su cui collocare per noi la questione della teoria, adeguato quanto lo era un tempo quello del trattato. Finora, almeno, non vi siamo riusciti e spesso la nostra riflessione teorica è solo una sottospecie un po' dilettantesca di quella filosofica o una semplificazione di quella storica ed epistemologica: talvolta essa viene adottata come giustificazione a posteriori del lavoro architettonico, talaltra come interferenza metaforica tra linguaggi diversi che invece, proprio per poter comunicare, devono mantenere aperte ma chiare le loro identità. Soprattutto vi è un disinvolto ed allusivo uso delle parole chiave di alcune riflessioni filosofiche che, introdotte in contesti disciplinari che muovono da esperienze profondamente diverse, assumono valori e significati del tutto abusivi.
Ma non per questo il problema della teoria non esiste. Nella complicata geografia delle molli posizioni di questo anni è facile abbandonarsi sia al fatalismo che alla frammentazione, come ritratto dell'infinita apertura interpretativa del disordine delle nostre coscienze, o reagire ad esse con un ordine del tutto fantasmatico.
Nonostante questi numerosi equivoci e nonostante la strumentalizzazione professionale con cui il discorso filosofico (ma anche il simbolico ed il letterario) viene utilizzato, è comunque importante mantenere viva la discussione con le altre discipline, ai margini delle quali si sono sovente costruite proposte scientificamente interessanti nell'ultimo secolo, come è noto. In questo senso quest'ultima Triennale ha fatto bene a porre al centro delle proprie attenzioni questioni di largo interesse teorico per l'architettura , anche se esse hanno trovato grande difficoltà a trasformarsi in atti progettuali, anche se tale trasformazione tende spesso a sottrarsi proprio alla questione della responsabilità collettiva della nostra disciplina, per far troppo spazio alla soggettività pseudopoetica o alla rappresentazione del sentire comune e del comune comportamento, quale base dell'idea stessa di progettazione.
Ciò che resta arduo, cioè, è il modo in cui il materiale proveniente dalla trasformazione del discorso filosofico, che oggi pretende di essere solo discorso ermeneutico, si rappresenta attraverso i mezzi specifici dell'architettura, il suo modo di affrontare la lunga durata, che è il suo destino specifico e che, proprio per questo, è disponibile, *post factum*, alla variazione nel tempo del discorso interpretativo.
Oggi sembra che si possano evocare le questioni centrali di significato e di fondamento dell'architettura solo parlando d'altro e pensando ad essa attraverso una perifrasi retorica. Ma alla fine ci si trova così di fronte ad un ampio spazio vuoto, ad un taglio netto, quando si vuole far "discendere" questa materia sull'architettura. E questo vuoto è proprio il luogo delle trasposizioni abusive, meccaniche o del tutto metaforiche, dove le deduzioni si rivelano ingenue, dove tra la complessità delle riflessioni e la complessità dell'architettura si riesce a trovare con troppa difficoltà qualche corrispondenza. Manfredo Tafuri avrebbe probabilmente detto che questo avviene quando si separa critica e storia, quando cioè invece di chiedersi dov'è il mondo nell'opera ci si chiede solo dov'è l'arte nell'opera.
Con questo non voglio dire che si debba discutere solo di mattoni e di travi o di orga-

nizzazione di cantiere, ma voglio affermare che la questione dei mezzi e della condizione specifiche del farsi dell'architettura dovrebbe essere presente, proprio nelle discussioni con i filosofi, in modo un po' meno fantasmatico. Altrimenti i discorsi diventano troppo allusivi ed alla fine elusivi, oppure per opposto troppo empirici.

Questo vale ovviamente ancor più quando il discorso si fa particolarmente complesso e di interesse accuratamente collettivo come nel caso delle città. Anche se la città fosse definibile come coacervo di racconti, come qualcuno afferma, ad ognuno di essi deve essere riconosciuta la legittimità di una propria fermezza, e comunque non è pensabile costruire la città come pura interpretazione del coacervo. Questa impossibilità è tanto tormentosa da essere ribaltata, da parte di molti, in qualità-simbolo di una nuova condizione di totale secolarizzazione dei luoghi, vissuta, con falsa coscienza, come totali libertà di iniziativa: e su di essa si cercano di costruire nuove strumentazioni poetiche, nuove ideologie operative.

Fino a quando, tuttavia, qualcuno non riuscirà a spiegare cosa significhino in termini concretamente riferiti al progetto della città e del territorio, "esplorazione", "ibridazione", "mescolanza", "contaminazione", se non in quanto descrizione estetica del deplorevole stato delle nostre città, delle nostre campagne urbanizzate e delle nostre periferie, sarà bene pensare di utilizzare piuttosto termini come riordino, chiarimento, riorganizzazione, come indicativi delle prospettive di azione del progetto urbano e territoriale, e questo non esclude affatto, ma al contrario afferma, l'idea di possibilità.

Ciò non significa in alcuno modo essere schematicamente incapaci di comprendere quanto l'uso e gli stessi materiali del sistema città si siano complessificati, in modo che la compresenza dei diversi tipi di scorrimento e di mutazione delle cose possono rendere più sensibili e articolate le risposte di progetto; quante possibilità contenga la stessa deformazione e trasmigrazione interpretativa, persino lo stesso fraintendimento di principî e metodi.

Tutto ciò, però, aumenta e non diminuisce la responsabilità civile delle nostre scelte, la tensione verso una ferma, trasparente chiarezza, che permetta di ascoltare e misurare il complesso scorrere e interrelarsi della vita sociale e delle sue positive differenze attraverso la costituzione di proposizioni di mutamento concreto, oltre che di una concreta comunicazione. E qui emerge per me un altro punto importante: il compito principale dell'architettura non è quello di produrre una comunicazione, ma una proposizione che muove una comunicazione. Su questo equivoco si è instaurata negli ultimi vent'anni una corsa alla mediatizzazione dell'architettura che è precisamente l'opposto della sua condizione di costituzione. Che tale proposizione sia il frutto dell'elaborazione di materiali e di interpretazioni complesse non toglie nulla al dovere di precisione della proposizione stessa nella forma della cosa costruita. E' la sua precisione che instaura il dialogo. Non il suo "decoro" ma la sua forma, cioè l'ordine con cui la cosa è costruita ed è percepibile. Nessuno come me è convinto del carattere di dialogo del progetto. Lo vado scrivendo da molti anni, da quando almeno ho cominciato a parlare di progetto come modificazione dell'esistente contestuale, di adatto, oltre che di nuovo come valore. Ma proprio perché il progetto è dialogo, il suo carattere non può essere aleatorio, deve costituirsi con la propria identità come elemento del dialogo, altrimenti niente è più riconoscibile e il dialogo si trasforma in un informe, sfuocato, indistinguibile insieme.

Esposizione Internazionale, Padiglione Italia, in alto: da sinistra, Antonio Monestiroli, *Un punto di vista sull'architettura*, Augusto Romano Burelli, *Un'edicola vuota* (foto Chiaramonte); a fianco: Roberto Collovà, *Un frammento in scala 1:1* (foto Chiaramonte)

Contro l'imperialismo progettuale

Pierluigi Nicolin

Prima voglio confessare la mia propensione al pensiero laterale e alle letture filosofiche, propensione che deriva dal fatto che trovo illeggibili i discorsi degli architetti. A me la prospettiva passatista di Isola, così come l'ha descritta, o anche l'angoscia di Gregotti, non interessano più, nel senso che non le trovo attraenti e credo che l'architettura debba oggi nutrirsi di cose che prende dall'esterno del suo ambito. Certo poi deve diventare architettura, e qui ha ragione Gregotti.

Ho capito benissimo quello che ha detto Rovatti ieri, ma non sono d'accordo quando sostiene che gli architetti non capiscono i complicati discorsi dei filosofi, i quali a loro volta spesso imbroglierebbero le carte. Mi va bene la parola scrittura, ma si tratta di vedere i diversi piani di scrittura. Faccio un esempio molto semplice: in una facoltà di architettura che sta sorgendo nel Canton Ticino si è posto il problema di chi dovesse insegnare una materia che si chiama "Il pensiero architettonico". Uno storico dell'architettura di Zurigo insisteva sul fatto, legittimo del resto, che a insegnare questa materia doveva essere uno storico dell'architettura e che si doveva soprattutto parlare dello svolgimento del pensiero architettonico. Io sostenevo invece che non esiste nessun pensiero architettonico, ma la partecipazione dell'architettura allo svolgimento del pensiero, e quindi che per me andava bene anche uno come Massimo Cacciari.

E' una discussione accademica ma interessante. Non vedo perché, come noi leggiamo dei testi filosofici, non ci sia qualche filosofo che possa appassionarsi dell'architettura. In genere, però, i filosofi non sono affatto appassionati di architettura, e questa è una realtà.

Ma la vera obiezione che farei in questo momento è che sembra quasi che tutte queste nostre discussioni avvengano in un luogo neutrale, e non nel quadro di un'Esposizione della Triennale. I due architetti che mi hanno preceduto, si sono guardati bene nel loro snobismo dal citare minimamente l'Esposizione. Perché non ne vogliono parlare? E' questo che mi sorprende e allora provo a fare qualche accenno, perché certi risultati qui esposti nel palazzo a me interessano, soprattutto nella parte della mostra, che non so se abbia veramente un carattere introduttivo, dove gli architetti si provano a esprimere una loro visione di architettura dello spazio. Sono illustrati quattro spazi: nel primo, due architetti californiani propongono *Pulp City*, cioè descrivono con i fumetti una condizione, diremmo così, postmoderna (termine filosofico, o non filosofico, forse architettonico, non lo so) in cui una nuova convivialità sarebbe possibile. E' il tentativo di recuperare la situazione della città dispersa, divisa per ghetti, per gruppi di interesse, per estreme differenziazioni.

Poi, subito dopo, ecco uno spazio di contemplazione, che non parla affatto della città e neanche dell'architettura, ma di una condizione dell'essere, suppongo. E' una stanza definita dalla luce, dallo specchio, dalla finestra e da un gioco attorno al tappeto: lo spazio sarebbe un insieme di fili che producono delle figure, quando le producono. La trama come struttura di relazione, direbbe forse il filosofo, oppure narrazione: la metafora di Juan Navarro Baldeweg è questa.

Poi c'è uno spazio, diciamo, nichilista, che io leggo come uno spazio neoespressionista, spazio computer, potremmo dire; è un foglio piegato, una fessura, sembra quasi fatto apposta per i commenti psicoanalitici, bellissimo, secondo me, e assurdo nello stes-

so tempo, in quanto improbabile come spazio architettonico. E' piuttosto uno spazio geologico, in cui leggiamo che l'architettura avrebbe perso il ruolo che aveva nel passato di raccogliere in un'unica grande immagine (pensiamo al mito della cattedrale) la figura del mondo. Oggi i media lo fanno meglio e più rapidamente. L'architettura dovrebbe allora produrre la memoria della sua passata condizione d'essere.
Infine troviamo un discorso un po' cinico, che assume una posizione opposta e semplicemente ci dice: tutto il mondo è immagine. L'architettura diventerebbe l'ennesimo medium e, per così dire, si metterebbe nelle braccia del suo antico nemico.
Se poi devo assumere io stesso una posizione, credo che ci possa essere una linea che separa un atteggiamento che chiamerei con vecchio termine arganiano-sociologico, un'arte della narrazione, ma di reportage, perché c'è evidentemente una ricerca del consenso, da un piano che invece è ancora architettonico, e che mi pare esemplificato negli ultimi due spazi che a me non sembrano poi così contrapposti perché in entrambi trovo una consapevolezza della condizione attuale dell'architettura, la quale può prodursi soltanto nel momento in cui essa rinuncia all'imperialismo progettuale, cioè soltanto quando diventa consapevole della perdita del suo supposto ruolo egemone.

Esposizione Internazionale, Padiglione Italia, Francesco Cellini, *Sezioni* (foto Studio Cellini)

Discussione

Pietro Derossi

Ringrazio Nicolin, che con le sue parole ci riporta alla mostra. Essendo io il promotore di questa mostra, ero un po' restio a parlarne. Di fatto credo che certi risultati siano visibili e interessino i tanti giovani studenti venuti qui. Ricollegandomi a Nicolin, credo anche che ci siano motivi di grande interesse legati alla mostra internazionale. Le mostre internazionali sono sempre molto difficili da fare: si hanno contatti con paesi molto diversi, i responsabili non li possiamo scegliere, alcuni sono scelti dai ministeri, ci sono delle burocrazie da superare. Però è certo che il tema della identità e delle differenze, con l'aggiunta della narrativa, ha influenzato queste partecipazioni. Sono magari ottimista, ma trovo che queste stanze hanno veramente la dimensione di una serie di racconti, come se si fosse compreso che si può parlare di grandi problemi a partire da specificità, da piccoli racconti esemplari di certe situazioni. Se uno ha un po' pazienza, trova qui un panorama assolutamente straordinario: alcuni racconti sono presentati in termini formalmente avanzati, altri (e anche questo fa parte delle differenze) con dei linguaggi molto poveri. Le nazioni dell'est, per esempio, a lungo assenti dalla Triennale, alcune delle quali, anzi, non esistevano neanche come Stati, adesso hanno bisogno di dire che ci sono anche loro, che sanno anche loro fare il moderno, che hanno un rapporto con il passato. Alcune di queste cose secondo me sono anche emozionanti, se uno riesce un po' a fermarsi, e a vedere come dietro ci siano talora delle tragedie profondissime.
Un accenno vorrei riservare anche al padiglione Italia, che è molto complesso e merita un'attenzione particolare.
A Gregotti volevo solo dire che io sono preoccupato del contrario, cioè dell'ignoranza degli architetti. Gli architetti, non solo non leggono filosofia, ma forse non leggono niente. Sono preoccupato del fatto che non c'è più vero dibattito nell'architettura, perché gli architetti non sanno più cosa dire, e il dibattito si riduce spesso all'appropriazione di un potere. Ci sono competenze e strategie, e, se si parla, lo si fa per difendere una propria strategia. Ma c'è più possibilità di confronti, e lo dico a Gregotti, sapendo che la sua è una delle poche voci che restano.
Allora, però, non capisco perché, essendo tu una delle poche voci che vogliono il dibattito, poi ti ritrai non promuovendo un allargamento del nostro modo di pensare alla nostra disciplina. Mi preoccupa che in questo tuo ritirarti ti richiami sempre all'ordine, come se la parola ordine di per sé avesse una tale essenzialità per cui tutti la possano chiaramente capire. Ma che cos'è l'ordine? Ci sono mille tipi di ordine, forse l'ordine è il disordine, ecc. ecc. Sarebbe meglio riconoscere che la parola ordine è una parola difficile da usare ed equivoca, estremamente equivoca; sembra sia una parola semplice e invece è per me una parola assolutamente equivoca.
Volevo rispondere anche a una domanda che mi è stata rivolta dal pubblico: tu ci hai raccontato come si svolge la procedura del progetto, ma che rapporto ha questo con l'evento? Ho cercato di spiegare che, effettivamente, nella misura in cui il progetto è visto come un racconto che si dipana, il suo costituirsi come "opera" è una pausa in un processo. L'opera è come l'inizio, non è la fine, non è una sintesi, non è qualcosa che chiude, che dà la soluzione: l'opera è evento nella misura in cui si pone come inizio, apertura di un cammino da fare.

L'evento, il racconto, il racconto evento, è il problema che ha sollevato Rovatti. Il contesto, secondo me, non è la casa, e neanche l'allargamento al quartiere. Il contesto, secondo me, deriva dalla consapevolezza della circolarità della conoscenza, dal rapporto tra parte e tutto. Il contesto come parte può essere un problema che ha riferimenti in tutto il mondo, può essere una relazione internazionale, può essere il problema dell'immigrazione. Si tratta solo di capire che tutte queste parti sono parti, che hanno diritto di essere e di esprimersi come parti e di diventare momenti che eventualmente possono partecipare a costruire una visione generale. Non sono solo il vernacolo, ma anche ciò che l'architetto ha intorno, la sua memoria, la sua soggettività, le mode, i linguaggi, le interferenze tra linguaggi.
Con questo rispondo anche a Dal Lago che mi sembra che il suo argomento non sia corretto, perché, mette in contrapposizione la casa con i grandi problemi internazionali. I grandi problemi internazionali sono anche essi dei racconti, delle parzialità, ma quando si tenta di farli diventare strutture fondanti del nostro pensiero e della nostra politica, perdono proprio la dimensione del racconto e diventano positivi, autoritari, diventano ciò che io non amo.

Pier Aldo Rovatti

Vorrei che Nicolin spiegasse l'accenno che ha fatto prima a proposito del suo disaccordo con le cose che ho detto in precedenza.

Pierluigi Nicolin

Non sono d'accordo quando dici che si potrebbe interpretare la morte di Dio di Nietzsche come la morte dell'identità. Così si attenua il tragico nel pensiero di Nietzsche. Si rischia di sbarazzarsi del problema che resta nel nichilismo contemporaneo e dentro il quale mi sento immerso.
Ora però vorrei tornare all'Esposizione, riprendendo l'idea dell'internazionalismo critico. Questa è una *chance* di lavoro nell'architettura contemporanea, soprattutto per gli architetti pensanti che lavorano nei paesi avanzati, chiamiamoli così, che si devono porre la questione del rapporto con il resto del mondo. La Triennale ci mostra un mosaico di paesi e il tema delle identità e differenze viene svolto presentandoci le differenze come un accumulo di tante velleitarie identità. Si passa da un paese all'altro e si capisce quanto è giapponese quel padiglione giapponese e quanto è diverso da quello che viene dopo, che è nientemeno che della Serbia. Non parlo certo di fusione di razionalità. No, l'India sarà sempre l'India, nonostante tutti i discorsi sull'omologazione del mondo, l'Argentina sarà sempre l'Argentina, e così via, e l'Esposizione ci accompagna in un viaggio non privo di fascino.
Tuttavia resta la responsabilità intellettuale di dire qualche cosa a proposito di queste differenze, guardando alla circolazione internazionale delle idee, delle merci, dei costumi e dei modi di vita. Non possiamo dire: va bene, facciamo Coca Cola più architettura stile cinese. Bisogna appunto affrontare il problema dell'internazionalismo critico, e se c'è un lato debole nell'Esposizione, è proprio quello di non farci capire cosa permette che questa semplice collezione di differenze diventi una rappresentazione del mondo.

Antonello Sciacchitano

Sentendo parlare di città come luogo del racconto e della contrapposizione tra interno e esterno, mi è venuto in mente un caso che ho avuto in cura tanti anni fa. Era il caso di un artista con problemi di inibizioni sul lavoro, un caso che mi intrigava: ho dovuto superare alcune mie resistenze, dovute a teorie obsolete come il fatto che una psicoanalisi può far male all'arte, nel senso che l'artista dopo l'analisi non è più artista. Questo signore era un pittore e non riusciva più a dipingere perché aveva tante idee da non riuscire a trovarne una che mettesse in ordine le altre, erano tutte equivalenti, era inibito come l'asino di Buridano, si potrebbe dire. Faceva un sogno ricorrente: uscire da Milano a piedi e fare lunghe camminate verso sud, verso la bassa. Si immergeva nella campagna non per cercare paesaggi, ma per andare a scovare delle trattorie dove si mangiasse particolarmente bene. Naturalmente questo sogno era facile da interpretare, camminare ha un significato edipico, e i piedi gonfi, la trattoria, la tetta buona, la tetta cattiva, interpretazioni che non ho avuto bisogno di dare perché erano immediate. Poi il sogno cambia: lui adesso cammina all'interno della città e improvvisamente sbuca in una zona che non conosce e si trova davanti ad una città dentro la città. E' una città fortificata, però, dove è difficile entrare; alle finestre si vedono donne con l'aria minacciosa che gli impediscono l'accesso, lui cerca di intrufolarsi. Quando il sogno finisce, rimane il desiderio di risognare lo stesso sogno sempre con questa difficoltà di entrare. Intervengo chiedendo di localizzare un po' la città che vede. Lui mi dice di non sapere dire bene, qualche cosa dentro la cerchia, forse dalle parti dei Navigli.
La serie di sogni si scioglie in un ultimo sogno in cui la città fortificata diventa una casa colonica dentro la città, simile a quelle dove andava a cercare le trattorie e lui finalmente riesce ad entrare in questa casa. Entra in una grande corte, e al di là della corte si intravede un campetto dove dei ragazzini giocano a pallone. Entra e poi esce, è preoccupato di fissare il ricordo della zona di Milano dove localizzare questo fuori e dentro; mi dice che è dalle parti del parco delle Basiliche, piazza Vetra.
Credo che questo caso ci dica qualche cosa, in modo molto allusivo, sul rapporto tra dentro e fuori, un dentro che è fuori ma poi ritorna dentro, e che si può attraversare. E' quello che cercavo di dire ieri a proposito del toro, e insomma di un buco attorno a cui si può fare un giro.

Laura Boella

Ho ricordato ieri un'espressione di Adorno riferita a Kracauer: "Pensare con una matita in mano". Oggi mi pare di aver sentito nelle parole di Isola uno sviluppo, in fondo radicalizzante e che condivido in pieno, di questa espressione.
E' vero che il pensiero nel fare architettonico, in un certo senso, si svuota, diventa un fare materiale, uno sporcarsi le mani e i piedi. E questo mi sembra non molto diverso da quanto dice anche Gregotti. Il fare dell'architetto è un dare ordine e forma allo spazio ma anche, e questo in me almeno desta molta nostalgia, saper dare un nome alle cose. Voi sapete chiamare per nome le pietre, il legno, anche i metalli, cosa che noi filosofi, ovviamente, non sappiamo fare. E' qualcosa che intriga moltissimo i filosofi ma che non autorizza assolutamente a ripristinare divisioni tra architettura e filosofia del tipo di quella tra teoria e prassi, come se noi speculassimo (purtroppo non come in campo immobiliare) nell'aria, e voi, invece, faceste cose pratiche, toccaste le cose.

Ancor meno credo che qui si tratti di un contrasto tra discipline e quindi tra specialismi.
C'è una frase di Derrida che, secondo me, può aiutarci, quando dice: "Ciò che non si può pensare, bisogna scriverlo". Ma che tipo di fare è? E' qui che secondo me, ci incontriamo, pur nelle nostre differenze, nel senso che lo scrivere appartiene al fare filosofia, è una pratica che non ha niente di decorativo, ornamentale o metaforico.
La tradizione dei pensatori vicini alla Scuola di Francoforte durante gli anni '30 è decisiva perché ha messo in circolazione l'idea che l'architettura producesse pensiero: le nuove tecniche architettoniche, l'uso di nuovi materiali, la costruzione di città come Parigi o Berlino, dicevano qualcosa sulla realtà del moderno che la filosofia non era capace di dire. Ora tutto questo non è leggibile come un segno di subalternità o di debolezza o di confusione mentale dei pensatori; al contrario è stato un collocarsi dei pensatori nella stessa situazione in cui si colloca l'architetto di oggi. Situazione dove qualcosa che spesso non può essere detto e che si fa fatica a trascrivere sul foglio graficamente, viene messo in opera da voi con pratiche che poi sono molto diverse tra loro. Allo stesso modo noi mettiamo in atto delle pratiche che partono dai materiali che usiamo e che sono i materiali del dire, con tutti i loro vuoti, i loro abissi, i loro slittamenti di senso. Se insomma individuassimo questi piani di confronto in cui entrambi facciamo qualcosa, credo che qui non sarebbe più il caso di parlare per metafore, e forse ci prenderemmo un po' più sul serio.

Carlo Formenti

Il mio intervento si collega alle cose che ha appena detto Laura Boella. Aggiungerei che anche la metafora è un fare, un'ibridazione fra linguaggi. Il contesto comunicativo in cui siamo oggi, come osservava giustamente Gregotti, si ripropone periodicamente. Nel confronto fra architetti e filosofi molto spesso la filosofia sembra svolgere un ruolo parassitario, visto che la filosofia sembra diventata un po' più "irresponsabile", cioè consapevole di non essere più responsabile dei destini ultimi del mondo, e sempre più consapevole di avere un ruolo legato al linguaggio, di essere una produzione che ha a che fare con gli slittamenti e le trasformazioni del linguaggio, fra l'altro prendendo molto dall'architettura, come mostra l'esempio del postmoderno. I sociologi ne avevano parlato vent'anni prima, però poi è diventata una categoria del pensiero e altro ancora.
In questo c'è un gioco di equivoci, di metafore, di slittamenti e ibridazione, che rinviano a una produzione che viene ulteriormente sovradeterminata in un contesto che è pesantemente sottoposto ai codici di comunicazione dei media. L'accelerazione rapidissima che, attraverso i mezzi di comunicazione di massa, viene data a questa ibridazione, ci riconduce, secondo me, a una superficie complessa di linguaggio sulla quale dobbiamo discutere. Progetto, responsabilità, fare architettonico: l'essere immersi in una sfera comunicativa che bombarda queste parole non soltanto dal punto di vista della filosofia, ma anche di altre discipline, che cosa sposta nella pratica dell'architettura?

Andrea Branzi

Anch'io, come Gregotti e Nicolin, avverto un certo disagio. Dietro quello che accade alla Triennale c'è una realtà che si può certo analizzare dal punto di vista filosofico, ma pone anche delle questioni politiche e progettuali molto più urgenti, nel senso che la

sottolineatura di un languore di crisi che la attraversa, questa compiacenza di essere così travagliata alla fine del secolo, di aver perso i suoi orizzonti unitari politico-ideologici ecc., la rende più simile ad una mostra della Biennale che ad una Triennale. Intendo dire una mostra che fa il punto sulla situazione attuale, mentre la tradizione della Triennale ha sempre mescolato discipline diverse con l'ipotesi di affrontare così alcuni problemi. La Triennale ha sempre fatto mostre progettuali più che contemplative.
Sulle vicende della complessità, tutti ormai lavoriamo a partire dalla crisi del '68 che ha significato la fine dei sistemi di certezze, dell'unità della cultura del progetto e politica, e da allora siamo entrati in una fase di incertezza permanente. In questa fase, poi, l'avvento dell'elettronica ha favorito la possibilità di produrre serie diversificate, di rispondere così alla diversificazione dei mercati; è una storia che tutti conosciamo.
Ma c'è una seconda fase della complessità, molto diversa. Inizia dalla caduta del Muro di Berlino, dalla fine del socialismo reale: quella complessità che era indotta da un sistema bipolare complesso si riproduce con tutte le sue discontinuità e alternanze, all'interno di un sistema monologico, il capitalismo postindustriale, il quale contiene dentro di sé tutto e il contrario di tutto, sottoponendolo a due spinte: una è la spinta dell'omologazione dei mercati internazionali e della comunicazione di massa, l'altra è l'accentuazione delle differenze locali e delle diversità di comportamento, tanto che oggi chiunque segua le vicende del progetto legato alle strategie industriali sa che il grande problema del capitale è costituito anche dall'oscurità totale del mercato. Questo capitalismo è un sistema vincente ma debolissimo, perché non ha più alternative politiche esterne e deve continuamente ricostruirle al proprio interno. Per evitare il rischio di una crisi di crescita, ha bisogno di innestare, anche attraverso il progetto, un riformismo profondo, una revisione in corsa del sistema dentro il quale ci troviamo intrappolati.
Quello che dice Gregotti a proposito dell'ordine e del disordine è un dato superato, perché se c'è una vera forza che produce il disordine è che tutti i progetti in Triennale tendono ad imporre il proprio ordine. E nel momento in cui le questioni di identità e differenze sembravano superate, dobbiamo chiederci se questa complessità è un bene da difendere, una conquista della democrazia, o il prodotto di una crisi che attraversa il sistema per cui tutti fanno tutto e il contrario di tutto.
C'è il fallimento delle culture internazionali ma c'è anche il fallimento delle culture regionali. Le culture regionali producono conflitti locali e accademie regionali prive di reali qualità, sono diventate portatrici di un secondo fallimento. Potremmo perfino dire che se c'è una caratteristica della cultura internazionale oggi è di essere un sistema di problemi regionali non risolti. E' l'internazionale delle insicurezze. Dall'altra parte, però, ci sono pericolosissimi movimenti di rifiuto della complessità, per esempio ad opera delle culture rinascenti dell'integralismo, che rifiutano la società complessa.
Per farla breve, ho l'impressione che la parte centrale della mostra, dove ci sono le quattro installazioni di cui ha parlato Nicolin, non risponda per niente al tema dell'identità e differenze, né tanto meno sia uno spazio narrativo, la cui definizione, in ogni caso, prevederebbe almeno tre condizioni. Prima, che ci sia un linguaggio riconoscibile; seconda, che ci sia qualcosa da dire; terza, che ci sia un lettore disponibile. Altrimenti la narrazione è semplicemente un elenco, un catalogo di varianti.

Le quattro risposte, secondo me, sono molto interessanti perché presentano non uno spazio narrativo, ma uno spazio razionale, in cui l'architettura non conta per le sue forme. Basta vedere il bellissimo spazio di Jean Nouvel, dove l'architettura è ciò che gli è stato assegnato, cioè una stanza della Triennale di Muzio con pareti interattive. Qui entra in crisi la categoria tradizionale del progetto, che è quella della distinzione tra design, architettura e urbanistica. Dentro questo spazio relazionale, il progetto diventa un'unica forza di trasformazione che deve trovare punti di rifondazione politica per la propria opera interna al sistema.
Tutta la Triennale, ancora una volta, è riempita fino all'inverosimile di architettura, a cui la filosofia e la letteratura fanno da ancelle, ma dove non c'è un centimetro quadrato dove ci sia un confronto con le altre discipline investite dal medesimo travaglio, le arti, il design, la musica e i comportamenti legati alla moda. La Triennale dovrebbe essere, proprio per l'eccezionalità del suo statuto, l'unico luogo in cui queste discipline si confrontano. Tale confronto qui non c'è, mentre viene ancora confermata l'autoreferenzialita dell'architettura che si pone come alibi del proprio sganciamento dalla realtà, della propria incapacità di leggere le mutazioni non filosofiche dell'epoca nella quale si svolge.

Paolo Gambazzi

Volevo intervenire sulla posizione del filosofo in questa strana situazione di dibattito. Io credo che vada accolto l'invito che ha fatto Gregotti di stare nella propria stanza. Volano molte frecce in giro. Devo dire che ritirarmi nella mia stanza mi va benissimo, anzi mi sento bene perché c'ero già; non mi sono mosso di lì. Però vorrei spiegare che cos'è per me fare il filosofo.
Per me fare il filosofo è fare il mestiere di filosofo. E' già stato detto che lavoriamo con le parole; io lo dico in un altro modo ma c'è convergenza totale. Lavoriamo con i concetti e la filosofia è un mestiere che smontando, rimontando, cercando o provando, sbagliando, cerca di creare e sperimentare qualcosa che produca una redistribuzione di concetti e di esseri.
Questa è la definizione che dà Deleuze della filosofia; è un mestiere, un lavoro che tenta di ridistribuire i concetti e gli esseri. Un mestiere che ha dei suoi materiali, delle competenze, dei problemi analoghi a quelli dell'idraulico che, se sbaglia nel fare la curva a gomito di un tubo, provoca la fuoriuscita o la cattiva circolazione dell'acqua.
Questo lavoro sui concetti, immediatamente lo intendo anche se sono magari in disaccordo con chi fa percorsi diversi; capisco, per esempio, anche il lavoro di tagliare nella topologia che è stato presentato in precedenza e le interessanti conseguenze che ne derivano. Assumere la posizione del filosofo non vuol minimamente dire cercare un antro oracolare da cui ogni tanto escono dei muggiti incomprensibili, ma non vuole neanche dire collocarsi nel supermarket dell'opinione, la quale, anche se non è immediatamente televisiva, però è già precostituita per questo. Può essere allora che un intervento filosofico sia arduo, e forse bisognerebbe scioglierlo in parole più povere, ma la filosofia ha un suo rigore.
Questo rigore è un mestiere. Io, per esempio, sono di estrazione fenomenologica. Il rigore per me è la ricerca della cosa stessa attraverso un'evidenza ultima che voglio tro-

vare. Ora, quello che viene provocato dalla richiesta di semplificazione del discorso filosofico è che l'evidenza sarebbe un'ovvietà. L'evidenza è invece il contrario dell'ovvietà. Husserl ha parlato per tutta la vita del carattere innaturale del pensiero. Deleuze, in altri termini, dice che la struttura fondamentale del pensiero è la *bêtise,* l'imbecillità. Il pensiero deve lavorare contro se stesso. Se il pensiero non lavora contro se stesso, usa l'evidenza come ovvietà, ma allora non è filosofia, è qualcos'altro. Se lavora con rigore nella ricerca della cosa stessa e trova l'evidenza, quello che l'evidenza mostra non è una cosa di buon senso. L'evidenza mostra il paradosso, mostra la cosa incomprensibile. Dire che si cerca l'evidenza non è affatto una semplificazione, né un mettere a posto la coscienza e la buona volontà di pensare verso il buon senso.
Se mi metto in questa stanza, trovo dei concetti (ho cercato di esporne qualcuno): il concetto di visibilità di Merleau-Ponty, il concetto di evento di Deleuze e altri. Se poi c'è rispondenza con gli architetti, sarà una rispondenza interna e a me è sembrato che queste rispondenze ci possono essere e siano profonde.
Se un bisogno della filosofia oggi è di ripensare il rapporto tra particolare e universale, allora Deleuze, per esempio (mi rifaccio solo a lui per semplicità), cerca di pensare il concetto di distribuzione, o di singolarità, non di particolarità, che è tutt'altra cosa, o ancora il concetto di evento, il far luogo che occorre perché l'evento accada.
Io vedo qui una rispondenza con molti dei problemi che sono stati sollevati o ricercati, per esempio quello dell'ordine. Ora l'ordine può essere una legge ripetitiva, però esiste anche un ordine senza legge. La filosofia ha spesso cercato una sintesi non concettuale, appunto un ordine senza legge. Cos'è un ordine senza legge? E' un ordine che si da la propria legge nel suo stesso crearsi a partire dalla singolarità. Oppure: che rapporto c'è tra il dettaglio e la totalità? Il dettaglio eloquente oppure un dettaglio riassorbito completamente dal piano? Usiamo categorie come particolarità e universalità o, invece, cerchiamo, in un'altra direzione, una singolarità che sviluppa la propria legge? La singolarità è come una chiave inglese per un idraulico. Cerca di aprirsi una strada. O, ancora, il concetto di paesaggio, che è un concetto fondamentale nella filosofia di Merleau-Ponty, ovviamente non in senso paesaggistico, né in senso ornamentale, soprattutto non in senso rappresentativo. Ho cercato di esporre una posizione filosofica anti-rappresentativa nel campo del visibile. Se guardo il Kärntnern Bar, l'American Bar Loos, vedo in quell'ordine, in quella riflessività, in quelle materie, delle singolarità che a partire da se stesse producono non uno spazio occupato da cose, ma un luogo in cui dei soggetti vengono estroflessi da se stessi mentre il luogo viene interiorizzato.
Questi sono alcuni strumenti filosofici, chiavi inglesi, materiali su cui lavorare. Credo al confronto da stanza a stanza, le pareti sono sottilissime, basta saper ascoltare.

Vittorio Gregotti

L'intervento di Gambazzi mi ha assolutamente riconciliato con la filosofia e mi permette di chiarire, per chi non mi conosce, la posizione che ho assunto contro un certo rapporto tra filosofia e architettura. Io ho imparato dal mio maestro Ernesto Rogers e da Enzo Paci, che è stato l'altro mio grande maestro, a discutere proprio delle due cose insieme, a partire dagli anni '50, e ho sempre perseguito questo tipo di strada.
La mia polemica era rivolta a questi ultimi anni dove veramente le idee filosofiche sono

state vendute al supermarket, scambiate con facilità, cambiate ad ogni moda. Il rapporto profondo fra le due stanze ha invece, secondo me, un grandissimo rilievo, specialmente oggi che noi abbiamo una grande incertezza sui fondamenti di ciò che facciamo. Non facciamo più parte di un sistema con opposizioni semplici come poteva essere quello degli anni '30 o degli anni '20. Noi, ogni volta che facciamo un progetto, dobbiamo ricominciare da capo.
Pensare con la matita in mano, diceva Laura Boella: io credo che bisogna pensare attraverso la matita, per mezzo della matita, non pensare con la matita in mano. Non c'è separazione se partiamo da questo discorso sulla pratica o sul mestiere. Il filosofo lavora con certi materiali per potere, in modo rigoroso, concatenare una serie di proposizioni. Per noi si tratta di una pratica che ha un'attualità, che è poi quella del fare concreto attraverso i nostri strumenti.
Dal suo intervento mi interessava rilanciare la difficoltà del rapporto tra parole e cose. Naturalmente per noi la verità sono le cose, non le parole. Le parole sono una specie di premessa, ma poi alla fine la verità, limitata, specifica, piccola, che noi proponiamo, è la cosa che facciamo. Non penso che proponiamo eventi, come dice Derossi: proponiamo soluzioni, molto modeste, puntuali, che non hanno la pretesa di essere definitive, che sono a loro volta delle interrogazioni. Non possiamo far altro che proporre soluzioni. Questo è il nostro limite, la nostra condanna agli strumenti che possediamo. Formenti ha proposto una serie di questioni che sono, da questo punto di vista, di grande interesse. La questione del progetto, cui ho tentato prima di fare un accenno, è una vecchia discussione avviata tanti anni fa da Cacciari sulla proiezione e produzione del progetto e sulla negatività del progetto in quanto realizzato. Nelle nostre discussioni di allora io insistevo sul problema della responsabilità. Responsabilità nei confronti di chi? La responsabilità nei confronti dell'opera, dato che noi abbiamo appunto una cosa che costituisce quella piccola verità che possiamo produrre, e l'unica responsabilità che abbiamo è la fedeltà rispetto a quella cosa. Però è troppo poco. Noi viviamo infatti dentro un contesto (prima si è parlato a lungo di problemi politici) dentro il quale ci sono altri tipi di responsabilità che convergono in modo diverso nell'opera.
Questo tema della responsabilità è per me molto angoscioso. Forse mi angoscio troppo facilmente ma mi sembra una questione che, in assenza di referente, diventa decisiva. Vale la pena di discuterne a fondo. Il nostro fare è questo, una soluzione modesta e specifica a un problema, una risposta provvisoria e con tutti i limiti che si vuole, ma una risposta che rimane lì, un oggetto pesante, che dura, che ha una responsabilità.
Quanto al dentro e al fuori, devo dire che il racconto che ha fatto Sciacchitano mi è sembrato molto illuminante. Io credo che quest'idea del dentro e del fuori, dalla topologia in avanti, sia per noi un problema non risolto sul piano spaziale, e dunque di grandissima difficoltà nel momento in cui si cerca di tradurlo in termini fisici, però è un problema molto appassionante. Credo che il suo racconto sarà la cosa che ricorderò di più di questo nostro incontro.

Bianca Beccalli

Mi rivolgo agli architetti nostri ospiti e in particolare a Nicolin e a Gregotti, Nicolin che ha detto che legge molto di filosofia e Gregotti che ha detto che legge poco di

filosofia, anche se poi si è smentito nel suo intervento. Io, non architetta e non filosofa, benché ami la filosofia, volevo esprimere il disagio, forse impopolare, che questo confronto avvenga soltanto tra architetti e filosofi ed in particolare soltanto con un certo tipo di filosofia.
Riconosco che ci sono, come dire, dei fatti storici, come diceva Formenti prima, riferendosi alle vicende del postmoderno, che conducono anche alle questioni della narratività ecc., ma nondimeno vedo qualcosa di limitante. L'osservazione è banale: identità e differenze sono il grande tema del nostro tempo, il declino e la frantumazione dei vecchi soggetti, la fine delle visioni ordinate della storia, l'emergere di soggetti nuovi che rivendicano identità, di genere, di religione, di etnia, di nazionalità su basi vere o inventate. E' un grande problema internazionale, oltre a essere un processo che si svolge all'interno dei singoli paesi-nazione, persino di quei paesi-nazione che hanno fatto della unione dei diversi, come gli Stati Uniti, la loro bandiera. E' un tema che esplode ovunque. E' la crisi della cittadinanza universale. A questi fatti sociali quali tematiche corrispondono?
Innanzi tutto il problema delle differenze dei diritti nella crisi del classico liberalismo egualitario a fronte di questa molteplicità di rivendicazioni e di diversità. Poi la comprensione di questi soggetti diversi che emergono, delle loro dinamiche, delle loro differenze. Credo che tutti e due siano problemi che l'architetto incontra anche nella città oltre che riflettendo sul mondo. A che discipline corrispondono questi problemi? L'uno è un problema di filosofia, la rifondazione dei diritti, ma non della filosofia che qui è stata evocata. Non ne faccio una questione di preferenze, voglio solo ricordare che il campo delle filosofia è molto ampio, ci sono molte filosofie, molte ricerche filosofiche. L'altro, quello dei soggetti, è un problema storico, del conoscere e capire i soggetti nella concretezza delle specifiche configurazioni storico-sociali. Qui non lo faccio per patriottismo di disciplina: parlo da sociologa non a caso.
La domanda agli architetti è: perché il loro confronto avviene soltanto con la filosofia e non con queste altre discipline? Perché l'interesse, in questo momento, è indirizzato solo a un tipo di filosofia?
La seconda domanda è ancora più semplice. Nella vostra pratica di architetti, che cosa ha significato e significa questa narrazione dentro il contesto, il progetto nel contesto, quando il contesto è pieno di storia, è un contesto di soggetti che chiedono cose diverse, è un campo di conflitto, insomma è un contesto in cui uno può camminare sognando?

Pierluigi Nicolin

Isola e Gregotti sono legati a un'idea della professione che è lontanissima da me. Gregotti, soprattutto, ha interiorizzato molto questa parte, si fa carico di responsabilità, pensa di avere bisogno di un certo potere per fare le cose che vuole fare, si sente un'agente di trasformazione del mondo. Isola non l'ho mai visto sporco di calcina, questo è un loro vezzo. Sto dicendo che io la considero una figura vecchia e obsoleta di architetto e di intellettuale.
Se infatti andiamo a vedere veramente cos'è il mestiere dell'architetto, ci accorgiamo che questo mestiere si svolge su più piani contemporaneamente. Il progetto non è una cosa univoca. Per esempio, quale è lo statuto del disegno? Non è affatto vero che il dise-

gno è uno strumento immediatamente legato al fatto che si debba costruire. Oggi l'articolazione del mestiere dell'architetto entra in un circolo comunicativo del tutto diverso dal passato, c'è una convenzionalità dei disegni. Chi fa un disegno per un piano particolareggiato, non lo fa per costruire; chi fa un piano regolatore, non lo fa per costruire; chi fa un piano territoriale, produce un altro tipo ancora di documento, e così via. Ci sono tanti strati discorsivi del progetto e limiti nel costruire e determinare le cose legati a ciascuno strato.
Leon Battista Alberti diceva che la bellezza dell'edificio è conferita dall'uso, e quindi già limitava il ruolo cosiddetto imperialista dell'architetto. Quanto a me, mi considero uno che pensa progettualmente, ma che sa che l'entrata del progetto nella società avviene in diverse circostanze, talora si serve di alcuni strumenti, talora di altri; anch'io voglio costruire, ma non voglio costruire a tutti i costi, cioè io mi pongo in un rapporto irrisolto con la società. Non sono contento di dove sono e quindi non sono così convinto di essere un attore della trasformazione di questa società, casomai mi chiedo se posso ancora mettermi nella parte di chi vuole demolire. La situazione è molto più problematica, molto meno costruttivistica.
Perché la filosofia, si è chiesto, piuttosto che la sociologia? Rispondo che non leggiamo più i sociologi perché hanno perso interesse per noi. Non solo, ma anche perché abbiamo rotto un certo tipo di rapporto organicistico con la società. Oppure può essere semplicemente il fatto di non aver incontrato il sociologo giusto, che ne so. Ho letto gli ultimi libri di Martinotti sulla metropoli e non li ho trovati molto interessanti.
Quanto ai filosofi, anche a me è piaciuto l'intervento di Gambazzi, anche se non mi considero specificamente votato alla fenomenologia. Però c'è un punto da chiarire: come potrebbe avvenire la comunicazione tra queste due stanze? Generalmente uno sta facendo un certo mestiere in un certo posto, un altro sta facendo una certa arte in un altro posto, poi si scopre che in verità stanno facendo anche delle cose simili. Intrecci casuali, per così dire, dentro percorsi diversi. Io sarei invece tentato di partire da una comunanza di interessi, da un problema in comune. Fosse solo il problema dell'identità nostra e della nostra disciplina. E anche i filosofi, in realtà, non abbandonano mai il terreno di questa interrogazione. Che è poi un'interrogazione sulla vita e sulla morte. Per esempio, io avverto sul mio lavoro di architetto il senso della fragilità e della mortalità, sento distintamente che quello che faccio è legato al tempo, che morirà, e penso allora che l'esagerazione intorno alla durata dell'architettura è uno dei disastri della nostra cultura. Anche l'ultimo dei geometri che costruisce una villetta pensa che la fa per l'eternità. Mentre un buon concetto per l'architettura contemporanea sarebbe quello di riuscire a pensare a una leggerezza dell'architettura, introducendo in essa il senso della finitezza del vivere.

Aimaro Isola

Con la mia nozione di paesaggio intendevo proprio un rapportarsi nel senso più profondo delle cose che cambiano al di là dei nostri mestieri, in un terreno residuale, in questa mancanza, in questa porosità in cui si pongono i problemi. Non sono d'accordo con Gregotti: noi non risolviamo dei problemi, li poniamo insieme, e questi problemi nascono proprio nella zona residuale che è la zona del progetto. Qui si incontrano le cose.

Una costruzione di cui noi certamente come architetti non gestiamo il processo, processo lunghissimo che non finisce, e qui sono d'accordo con Nicolin, con la pagina bianca. Il progetto noi l'affidiamo al mutamento e non all'effimero che ha di nuovo una tremenda banalità. Ci piace che le case nascano, alcune che vivano poco, altre che non nascano, e che alcune altre muoiano.
Ma a me piace anche che le mie case cambino nel tempo.
Non è tanto la morte come finitezza ma come trasmigrare. Questa trasmigrazione è il paesaggio dentro al quale tutti siamo. La tensione che ci spinge verso questa zona interstiziale è una volontà d'arte che hanno anche i filosofi e anche i tubisti.

Pier Aldo Rovatti

Rimane un intervento, quello di Derossi, che concluderà la nostra discussione. Prima di dargli la parola vorrei dire a Nicolin che non è strano che questi incontri avvengano a loro volta ibridando una situazione che non è quella che si pensa sia quella ideale, e che quella ideale non si verifichi mai.
Forse tutto ciò ha che fare proprio con quel pensare all'evento intorno a cui ci siamo un po' industriati in questi giorni, con quel tanto di casualità e di ibrido togliendo il quale non si ha alcuna discussione. Perché il vero seminario non accade mai?
E' solo per mancanza di volontà, perché siamo pigri, perché non abbiamo voglia di incontrarci, o invece perché questi momenti di incontro problematico, questi problemi in comune, a loro volta emergono negli interstizi e nelle pieghe come qualcosa che possiamo chiamare evento? Quando descrivevo l'annuncio della morte dell'identità, intendevo qualcosa del genere. L'identità non è morta, questo annuncio è un annuncio, il nichilismo non supera affatto la soglia; ed è forse questo, a mio parere, l'unico modo di intendere seriamente la questione del nichilismo.

Pietro Derossi

Prima di tutto, nessuna conclusione. Una piccola difesa della mostra.
Non è vero che la mostra è autoreferenziale, non è vero che la mostra è solo architettura. Per esempio il Padiglione Italia ha proprio come tema il rapporto tra i linguaggi. E anche nella Mostra internazionale, se uno la guarda con attenzione, ci sono molti elementi che escono da una referenzialità stretta rispetto all'architettura: elementi e problemi che partono dall'architettura e vanno verso il territorio, la politica, il design, l'intimità, la società ecc.
Ma vorrei ritornare ancora un momento sulla mostra introduttiva dei quattro architetti, sulla parte di commento centrale che è stata criticata dallo stesso Nicolin. Vorrei solo dire l'esperienza che io provo quando sono lì dentro. Quando sono in questa pancia, dove trovo un rimando immediato alle città con le loro storie, le loro complessità, le loro profonde differenze e i vastissimi problemi, mentre quattro voci mi sussurrano la loro poetica, la loro differenza, la loro ossessione, avverto qui un grande catalizzatore di riflessione. Mi sembra già un risultato, se questo è vero.
Un altro risultato è forse questo convegno. In che misura? Quando il consiglio di amministrazione ci ha suggerito come tema identità e differenze, lo staff che si occupava dell'Expo ha introdotto la parola "narrativa". Ciò ha trovato non pochi ostacoli; tutti dicevano: "ma che cosa c'entra la narrativa con identità e differenze?" Oggi mi sem-

bra che questa parola sia ormai vincente, vincente nel senso che si è inserita nel nostro vocabolario di intellettuali, filosofi, architetti, che si interessano al mondo dell'abitare. E' la parola che ci collega e ci permette di discutere.
Il mestiere. Io non adopero mai la parola mestiere, anche se sono figlio di ingegnere, da bambino andavo in cantiere. Se anche adesso la calcina non c'è l'ho, potrei averla, mi è facile andare a passeggiare in cantiere. So cosa significa "fare " architettura. Però mi insospettisce sempre la parola mestiere, perché può essere intesa come una chiusura, la stanza di cui parlava Gambazzi, ma una stanza che appunto si chiude, che ancora una volta pensa solo a se stessa. Il mestiere è importantissimo, quello che ci accomuna è il fare, però quale fare, cosa fare? Qui stiamo discutendo sul come fare. Facendo il mestiere, dobbiamo guardare fuori e poi tornare dentro come una specie di andirivieni, col quale raccogliamo altri messaggi.
Per esempio, come dice Gregotti: il rapporto tra le parole e le cose. L'architettura ha dentro di sé anche delle parole, e c'è un continuo rimando tra parole e cose, tra linguaggio letterario e linguaggio figurativo, ogni volta che trattiamo l'abitare. Le cose non vivono da sole, non ci sono le cose se non sono parlate, se non sono guardate, se non c'è una riflessione. E poi le parole stesse hanno bisogno delle cose, e anche l'architettura, una volta fatta, costruita, finita, non è una soluzione, è un messaggio, un inizio, un evento che entra in un discorso in cui molti linguaggi si intrecciano.
L'autoreferenzialità invece è il mestiere inteso in modo chiuso, così oggi l'architettura si è un po' separata dal dibattito generale sulla società. Nessun politico parla oggi del problema dell'abitare, o fa esempi di come si può riorganizzare la città dal punto di vista anche fisico, spaziale e territoriale. Dovrebbe invece essere il dibattito civile della politica contemporanea. La distanza tra politica, nel senso buono della parola, e l'architettura, ecco qualcosa di molto preoccupante.
Spingere la politica al dialogo, ad aprirsi ad altri linguaggi, a parlare dell'abitare; spingere l'architettura al confronto con altri racconti e altri protagonisti, aprire il nostro mestiere all'alterità. Ecco, se noi non facciamo questo e continuiamo a parlare a noi stessi perdendo ogni referenzialità, non avremo più niente da dire e nessuno a cui parlare.
Una responsabilità, visto che se ne è parlato, di noi architetti, è proprio quella di aprire il nostro mestiere, chiamiamolo così, a tutti i problemi reali del mondo in cui viviamo.

Esposizione Internazionale, Padiglione Italia, Italo Rota, *Quattro anni al 2000* (foto De Tullio)
Nelle pagine seguenti: Esposizione Internazionale, *Una nuova piazza per la Triennale* (foto Basilico)

identità
incontri
eventi
amore
doppio
costumi
contesto
l'altro
tu

Finito di stampare nel maggio 1998
dalla Cromografica Europea - Rho (MI)